LA CUISINE RAPIDE

René Malherbe,éditeur

Sommaire

Avant-propos

Cet ouvrage est destiné à celles et à ceux qui apprécient la bonne cuisine, seuls ou en compagnie, mais qui ont peu de temps à consacrer à leurs fourneaux. Les recettes présentées n'exigent guère plus de 30 minutes de préparation. Considérez-les comme une incitation à de nouvelles idées et variez-les au gré de votre humeur et de votre fantaisie. Laissez-vous inspirer par les ingrédients: imagination et goût aidant, avec un zeste de doigté, vous pourrez, en un clin d'œil, apporter sur votre table des plats personnalisés. Ainsi, ce livre suit une double tendance actuelle: il s'adresse à tous ceux qui n'ont pas beaucoup de temps pour cuisiner, mais également aux nombreuses personnes qui vivent seules ou qui n'ont pas une grande famille. A vos casseroles, donc! Chaque recette est clairement articulée; les différentes phases de préparation sont décrites point par point, ce qui facilitera aussi la tâche aux gourmets inexpérimentés. N'oubliez jamais, en tout cas, une règle importante de la bonne cuisine, même rapide: n'employez que des produits de premier choix. Si cette condition est remplie, le succès sera quasiment garanti. J'espère que ce livre vous stimulera. Je vous souhaite beaucoup de plaisir, de belles réussites et, il va sans dire, assez de temps pour savourer en paix.

Ustensiles de base d'une petite cuisine

Détrompez-vous: ce n'est pas la rapidité de la seule préparation qui fait les plats rapides. Ils résultent bien plutôt de l'aménagement correct de votre cuisine, où vous réserverez une place définie pour chaque chose. Pensez à ranger vos ustensiles culinaires de sorte qu'ils soient d'un accès immédiat et commode. Disposez-les tout autour de votre plan de travail, afin d'éviter des recherches inutiles et de gagner ainsi du temps. Après utilisation, songez à les remettre toujours à la même place. Très vite, vous saurez d'instinct où trouver un couteau ou une fourchette. Ce principe vaut aussi pour les plats, les casseroles, les poêles et, surtout, pour les provisions. Qu'elles soient stockées au réfrigérateur ou dans un placard, rangez-les de façon à voir du premier coup d'œil ce qui reste ou à prendre sans hésiter ce dont vous avez besoin pour confectionner un mets.

Méthode éprouvée: la «mise en place», ainsi que l'appellent les professionnels. Pesez à l'avance tous les ingrédients nécessaires à la préparation d'une recette et disposez-les dans l'ordre d'utilisation. N'oubliez pas les condiments. Vous verrez comme cette méthode est rapide!

Outre le rangement des ustensiles et des denrées, les ustensiles destinés à faciliter la préparation ont, bien sûr, leur importance. La technique moderne nous offre des appareils sophistiqués, mais dans le temps qu'il vous faudra pour les installer et les mettre en marche, vous aurez déjà coupé vos divers ingrédients à la main. Une classique râpe ménagère, un presse-citron ou une moulinette à légumes sont plus utiles dans la cuisine d'une à deux personnes que ces appareils complexes. Certes, leur emploi est aussi une question d'habitude et vos préférences pour l'un ou pour l'autre sont affaire de goût.

Vous devez avoir un équipement de base – de bons couteaux sont indispensables. Soyez particulièrement attentifs lors de leur achat. Le commerce propose un vaste choix; toutefois, montrez-vous exigeants sur la qualité. Choisissez de préférence des couteaux en acier façonnés d'une pièce avec un manche solidement fixé à la lame. Les bons couteaux – est-il besoin de le dire? – doivent être inoxydables; cela est important dans la cuisine où ils sont en contact constant avec l'eau. Ne les rangez pas dans un tiroir; le tranchant de la lame s'émousserait. Il existe nombre de porte-couteaux, dotés ou non de propriétés magnétiques, qu'on fixe au mur. Selon l'utilisation que vous en ferez, il vous faudra affûter vos couteaux. Optez pour l'aiguisoir. Un peu de pratique aidant, vous aurez toujours des couteaux tranchants à votre disposition. Faites-les cependant affûter une ou deux fois l'an par un spécialiste. Ainsi que le disent si joliment les professionnels: «On ne se coupe, en vérité, qu'avec les couteaux mal affûtés. Un couteau effilé se laisse diriger, un couteau émoussé n'en fait qu'à sa tête.»

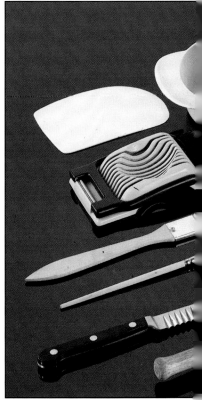

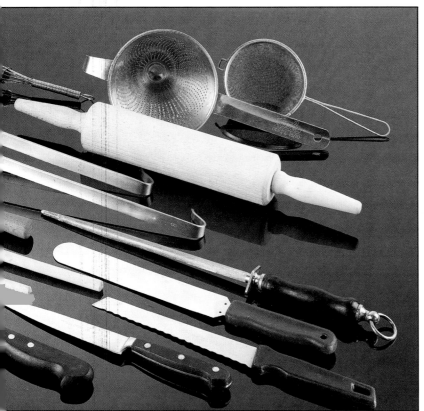

Pour un ménage d'1 ou 2 personnes, il faut:

1 couteau-scie (env. 18-20 cm)
1 couteau à viande (env. 20-25 cm)
1 couteau de cuisine (env. 10-15 cm)
1 couteau à légumes (env. 8-10 cm)
1 aiguisoir
2 fouets
1 palette
1 petite et 1 grande fourchettes à viande
1 petite et 1 grande louches
1 écumoire
4 cuillères en bois de différentes tailles
1 petite et 1 grande passoires
1 petit rouleau à pâtisserie

Petits ustensiles utiles

Vous avez absolument besoin de ces ustensiles qui vous faciliteront la vie:
ouvre-boîtes, ciseaux de cuisine, tire-bouchon, petit racloir, verre doseur, râpe ménagère, pinceau, couteau économe, coupe-œufs, presse-citron, portionneur de glace, moulinette à légumes, presse-purée, évidoir, évide-pommes.
Vous voilà à présent équipés de façon optimale. Il vous faut encore une balance et une planche. La planche de bois sera certes meilleure pour vos couteaux, mais, pour des raisons d'hygiène, préférez pourtant les planches en plastique ou en matières synthétiques. Elles se nettoient mieux et, à l'inverse des planches en bois, elles ne s'abîment pas au contact de l'eau.

7

Batterie de cuisine, vaiselle, ce qu'il faut savoir

Les récipients dans lesquels vous préparez ou faites cuire vos mets importent autant que les bons couteaux. Là encore, n'hésitez pas à acheter des ustensiles d'excellente qualité, dont le prix élevé se justifie tout à fait – vos recettes réussiront mieux et, par ailleurs, les ustensiles auront une plus longue durée de vie. Le choix, dans le commerce, est très varié. Pourtant, tous ces récipients à usage spécifique ne sont pas utiles dans une petite cuisine. Contentez-vous de 4 plats de différentes tailles, en inox ou en Pyrex. Prévoyez un assortiment de récipients en plastique; ils vous permettront aussi bien de travailler que de surgeler ou de conserver les aliments. Lors de l'achat, n'oubliez pas de vérifier s'il existe un couvercle adapté. Les récipients doivent avoir un fond plat, sans rainures. Les plats pourvus d'une rondelle de caoutchouc offrent une meilleure adhérence, mais ils coûtent plus cher (on peut les remplacer par un torchon humide sur lequel on pose le plat). Casseroles et poêles sont un sujet en soi. Le choix, là aussi, est vaste, et il est souvent difficile de se décider. Pour une casserole, le matériau est le facteur clé. Mais, ici encore, les habitudes de la cuisinière ou du cuisinier jouent un rôle important. Les récipients de fonte, d'acier ou de cuivre sont d'égale qualité, et il appartient à l'utilisateur de trouver celui qui lui convient le mieux. Voici quelques trucs pour vous aider dans votre choix.

Quelques trucs à savoir pour acheter une batterie de cuisine:

Assurez-vous que le récipient est adapté à votre cuisinière. Les indications ad hoc figurent généralement sur l'emballage. Choisissez des récipients dont la dimension sera fonction de la grandeur de la plaque de votre cuisinière. Les dimensions des uns et des autres étant standardisées, vous trouverez sans mal des récipients appropriés.
Le fond compte beaucoup dans la qualité d'un récipient. Deux aspects, surtout, sont importants: d'une part, le fond doit être plat, pour bien adhérer à la plaque; par ailleurs, il ne doit pas travailler à la chaleur. Certains récipients ont des fonds spéciaux, qui influent sur la cuisson et qui peuvent être plus ou moins bons conducteurs de chaleur. Prenez conseil auprès de votre vendeur.

Accordez aussi toute votre attention au manche et aux anses. Vos casseroles doivent être équipées de manches isolants. Au cas où les casseroles ont des manches en plastique, assurez-vous que ceux-ci supportent la forte chaleur. Cela vaut également pour les anses de couvercle. Lorsque vous achetez poêles ou casseroles, comparez d'abord le rapport qualité/prix. Il arrive souvent que des articles identiques soient vendus à des prix fort différents. Demandez conseil à votre vendeur. Ainsi que nous l'avons déjà dit, il vaut mieux, dans la plupart des cas, payer plus cher.

Les revêtements, sur le fond des poêles ou des casseroles, évitent que les mets n'attachent. En outre, ils facilitent le nettoyage. N'employez pas d'éponge métallique sous peine de voir vos récipients devenir très vite inutilisables. N'employez pas de cuillers en métal pour remuer vos préparations et respectez à la lettre les indications du fabricant. Ainsi, ces récipients ne vous apporteront que de l'agrément.
Si votre foyer compte 1 à 2 personnes, achetez les casseroles et poêles ci-dessous:
1 casserole à manche (env. 1,5-2 l)
1 marmite (env. 1,5-2 l)
1 faitout (env. 4-5 l)
1 cocotte ou 1 daubière (env. 2,5-3,5 l)

1 cocotte plate ou 1 daubière plate (env. 4-5 l)
1 moule à soufflé (env. 2-3 l)
1 poêle à frire avec couvercle (env. 24 cm)
1 poêle à frire sans couvercle (env. 20 cm)
Pour nettoyer poêles et casseroles enduites d'un revêtement protecteur, n'utilisez jamais de poudre à récurer, d'éponge métallique ou de couteau. Vous abîmeriez le revêtement, ce qui porterait préjudice à votre organisme et rendrait le récipient inutilisable. Nettoyez avec un savon doux. Les poêles d'acier de bonne qualité supportent la très forte chaleur; mettez-y 2-3 cuillerées à soupe de sel et faites chauffer à feu très vif. Utilisez un torchon sec pour nettoyer vos casseroles et vos poêles.

Ustensiles culinaires pour plats express

La technique permet à la cuisine moderne de réduire les temps de préparation et de cuisson. A côté des nombreux ustensiles, grands ou petits, qui coupent, hachent et mixent, il y a aussi la Cocotte-Minute, le four à micro-ondes et le gril. Vous n'aurez besoin ni des uns ni des autres pour réaliser les recettes présentées dans cet ouvrage. Cependant, leur usage permettra de réduire le temps de préparation.

La Cocotte-Minute

La nouvelle génération de Cocottes-Minute constitue une aide fort précieuse dans notre cuisine moderne. La cuisson à pression élevée permet de réduire sensiblement le temps de cuisson, d'économiser de l'énergie et de conserver aux mets leur arôme. On en trouve de diverses tailles; il en existe de 2-3 l pour les petits ménages. Marmites, cocottes ou poêles, le choix est étendu et les prix abordables.

Quelques conseils d'utilisation:

Respectez autant que possible les temps de cuisson indiqués. Ainsi seulement sera préservée la majorité des vitamines et des éléments minéraux, les légumes seront croquants et auront belle couleur.

Le temps de cuisson est le temps pris en compte à partir du moment où la pression s'est élevée dans la cocotte. Le temps de chauffage ne doit pas être pris en considération.

La Cocotte-Minute vous permet de cuisiner avec peu de matières grasses et un minimum d'eau. Vous absorberez donc moins de calories, mais davantage de vitamines et d'éléments minéraux précieux.

Rien ne vous interdit de faire d'abord revenir des aliments dans la Cocotte-Minute. Une fois votre pièce de viande saisie, versez la quantité de liquide requise, fermez le couvercle et laissez cuire à la vapeur.

Respectez, dans tous les cas, les indications du fabricant. La façon de procéder est exactement indiquée. Un petit tableau relatif aux temps de cuisson de divers aliments ou de plats vous montrera comment vous pouvez gagner du temps.

Le four à micro-ondes

Cet appareil a suscité quelques remous. Dans la cuisine moderne des foyers de 1 à 2 personnes et, bien sûr, dans les familles nombreuses, le four à micro-ondes occupe une place très importante. Les nouveaux appareils, équipés d'un gril et d'air chaud, peuvent être mis en place à peu près partout. Toutefois, il faut considérer cet appareil comme un complément. En mettant à profit quelques règles élémentaires, vous économiserez beaucoup de temps et d'énergie.

10

Quelques conseils pour utiliser le four à micro-ondes:

Lors de l'achat, demandez conseil au vendeur. Vous choisirez ainsi l'appareil adapté à vos besoins.

Même pour une petite cuisine, choisissez des appareils très performants. Plus la puissance en watts est élevée, plus vite cuiront les aliments.

Les micro-ondes ne cuisent pas par la chaleur; ce sont les ondes qui transforment l'eau des aliments en vibrations produites dans un magnétron. Ce qui explique que seul l'aliment, et non le récipient, soit chaud.

Vous pouvez employer des plats faits de n'importe quel matériau: verre, céramique, porcelaine..., le métal excepté, car il réfléchit les ondes. Il existe des récipients spéciaux pour les fours à micro-ondes adaptés à des usages spécifiques. Vous en saurez davantage en lisant les brochures ou en vous adressant au vendeur. Le four à micro-ondes permet de dégeler, de faire chauffer ou de cuire des aliments crus ou prêts à l'emploi. Associé au congélateur, l'appareil offre un gain de temps inestimable pour la cuisine rapide.

Un bon four à micro-ondes doit être assez grand; il doit être muni d'un régleur de puissance sans graduation et d'un thermostat. Tout autre élément est superflu.

On peut, comme avec la Cocotte-Minute, cuire avec peu de matières grasses et peu d'eau. Réduisez donc le temps de cuisson au minimum afin de conserver vitamines et éléments minéraux. Seul les tableaux fournis par le fabricant avec l'appareil peuvent indiquer le temps de cuisson et de décongélation exacts. Chaque pièce de viande a sa qualité, son poids et son point de congélation propres, ce qui influe sur le temps de cuisson. Si vous utilisez un four à micro-ondes, notez les temps vous-mêmes. Vous aurez ainsi assez vite votre carnet personnel et, avec une plus grande pratique, vous les connaîtrez par cœur.

Le gril

Il n'est pas nécessaire, pour la cuisine rapide, d'acheter un gril. Cependant, si vous en possédez un, il sera un complément bienvenu. Le gril est supérieur au four non seulement pour les bons petits plats grillés ou gratinés, mais aussi pour les gâteaux, les pizzas et les tourtes. Il est plus maniable, plus petit, et n'a pas besoin d'être préchauffé aussi longtemps. Il en existe une variante spéciale, le «gril-combiné», à air chaud. Le four à micro-ondes «Plus» existe aussi comme four de table avec gril incorporé. Il n'est pas indispensable dans chaque foyer, mais le gril de table permet de faire de la cuisson des mets une activité conviviale et de diminuer ainsi le temps passé seul dans la cuisine.

Conservation des provisions

Les provisions, importantes dans toute maison, sont indispensables pour la cuisine rapide. Un bon placard à provisions, dont on vérifie le contenu et qu'on remplit une fois par mois, vous libère du temps consacré aux courses, vous met à l'abri des visites surprises et vous permet de faire face à des pannes imprévues. Vous pouvez aussi profiter des promotions. Ayez toujours du sucre, du sel, de l'huile, du riz et/ou des pâtes, des condiments, du vinaigre et des légumes secs. Pensez aussi aux plats vite faits. Les légumes, la viande et le poisson peuvent se présenter sous forme de conserves ou de surgelés.

Le congélateur

Le congélateur est l'appareil le plus adéquat pour conserver les produits frais. La cuisinière, le congélateur et le four à micro-ondes se complètent à merveille dans la cuisine rapide. Vous pourrez ainsi, par exemple, faire cuire des aliments (sur la cuisinière), les conserver dans des sachets individuels (au congélateur) et les faire réchauffer en quelques minutes (dans le four à micro-ondes). Les divers produits offerts par le marché des surgelés sont idéalement adaptés à la cuisine rapide: les légumes sont vite cuits, et vous évitez la corvée d'épluchage et de lavage. Les pâtes surgelées permettent de confectionner tartes ou pizzas en quelques minutes. Le temps de préparer les autres ingrédients, et la pâte est dégelée. Il est encore plus simple, évidemment, de la placer brièvement dans le four à micro-ondes.

Conseils pour surgeler:

Les bouillons et les fonds faits maison sont à la base de toute bonne cuisine; ils sont de beaucoup supérieurs aux divers produits prêts à l'emploi. Mélangez donc os et carcasses avec différents légumes et confectionnez une sauce de base que vous surgèlerez une fois bien réduite et répartirez en portions.
Variez vos préparations à partir d'une recette de base. De la viande de veau bouillie. par exemple, vous servira à accommoder des légumes sautés, des ragoûts, mais vous l'utiliserez aussi pour améliorer un potage ou pour un pot-au-feu. Emballé dans des sachets individuels et surgelé, votre repas sera pratiquement toujours prêt.
Fines herbes et aromates abondent l'été. Pourquoi vous en priver l'hiver? Profitez donc de la pleine saison pour les trier, les laver et les hacher; mettez-les dans des cubes de congélation, nappez-les de bouillons bien aromatisés et surgelez-les.
Si vous ne voulez pas surgeler vous-mêmes les produits frais ou si vous n'en avez pas le temps, saisissez les offres intéressantes de l'industrie du froid.
Avant de surgeler, pensez à l'emballage adéquat. Il faut conserver les aliments avec le moins d'eau et d'air possible. Vous trouverez dans le commerce les sachets appropriés.

Le réfrigérateur

Toute cuisine moderne est équipée d'un réfrigérateur. Les appareils diffèrent par leur fabrication, leurs dimensions et l'aménagement intérieur. Même pour un foyer de 1 à 2 personnes, il vaut mieux choisir un réfrigérateur assez grand (contenance de 120 l minimum). Il existe des appareils pourvus de compartiments de congélation à 1, 2 ou 3 étoiles. Cela signifie que le compartiment 1 étoile est à une température de $-6°C$, le 2 étoiles $-12°C$, le 3 étoiles $-18°C$. Les compartiments 2 et 3 étoiles sont précieux, même pour un petit foyer. Ils permettent de stocker de petites quantités de légumes, de viande ou de poisson surgelés. Ces appareils ne conviennent pas à la congélation.

En dehors de ces compartiments, la température varie entre $+1°C$ et $+10°C$. Placez viande, saucisses, poisson et volaille dans la partie supérieure, car il fait encore très froid à proximité du freezer. Dans la partie médiane, conservez le lait et les produits laitiers comme les œufs, les crèmes, les yaourts. Dans la partie inférieure, placez tous les produits moins sensibles à la chaleur. Ainsi que l'indique le nom, le bac à légumes est réservé aux salades, aux légumes et aux fruits. Une règle de base vaut pour tous les produits: chacun d'eux doit être bien emballé et conservé hermétiquement fermé au réfrigérateur, pour éviter la déshydratation et les odeurs étrangères. La qualité de vos produits sera préservée plus longtemps.

Le placard à provisions

Les produits conservés dans votre placard à provisions sont, bien sûr, fonction de vos goûts. Veillez à acheter des conserves entières. La date d'emballage et de conservation doit figurer sur la plupart des produits. Pour un assortiment de base, nous vous conseillons quelques boîtes de légumes (petits pois, carottes, haricots ou macédoine), quelques conserves de poisson ainsi que de fruits (compotes ou macédoine de fruits). Avec deux ou trois boîtes de plats cuisinés, vous serez parés à toute éventualité. Et vos visiteurs imprévus auront le choix ... Nous avons déjà mentionné l'indispensable – riz ou pâtes, farine, semoule, chapelure, ainsi que divers condiments. Toutefois, ne stockez pas ce que vous ne consommez pas.

Produits prêts à l'emploi

La plupart d'entre vous diront: «Facile!» Cependant, compte tenu des erreurs assez fréquentes malgré des modes d'emploi précis indiqués sur l'emballage, nous jugeons utile de vous donner quelques conseils supplémentaires:

Les aliments enveloppés dans des sachets de cuisson doivent être plongés dans l'eau bouillante dans leur emballage. On peut aussi les placer dans le four à micro-ondes car il leur faut peu d'eau et un très petit récipient.

La plupart des produits prêts à l'emploi qui se présentent dans de l'aluminium – pizzas, paëllas, riz, rôtis et plats cuisinés – sont emballés dans un papier protecteur qu'il faut enlever avant de les faire réchauffer. Ne placez ces plats dans le four à micro-ondes que si le bord n'excède pas 2 cm de hauteur.

Ne réchauffez pas tels quels les surgelés vendus sous feuille de plastique. Plongez-les rapidement dans l'eau chaude afin de dégeler les bords. Il sera alors aisé de sortir le produit de son emballage et de le mettre dans une casserole. Ne mettez pas ces produits dans le four à micro-ondes. Après décongélation, placez-les dans un récipient de verre ou de porcelaine puis dans le four.

Les conserves, qu'il s'agisse de légumes ou de plats cuisinés, doivent être sorties de la boîte avant d'être mises à réchauffer. N'oubliez pas de vérifier la date limite de consommation de chaque produit. Elle vous garantit, jusqu'à son expiration, la fraîcheur du produit, à condition, toutefois, de le stocker dans de bonnes conditions. Ne consommez jamais les boîtes dont le couvercle est bombé; le produit est nocif. En outre, la boîte risque d'exploser. Conservés trop longtemps, les surgelés se dessèchent et brûlent.

Montrez-vous très prudents avec les produits moisis. Il vaut mieux ne pas les consommer, car la moisissure peut avoir gagné l'ensemble du produit.

Que vous utilisiez des produits prêts ou semi-prêts à l'emploi, vous devez les personnaliser. La plupart des petits trucs sont faciles et simples, le résultat est la plupart du temps parfait. Il est souvent malaisé de faire la différence avec des plats maison. Nous allons vous le démontrer avec une banale soupe à la tomate, qui pourra être un produit en boîte ou en sachet. Nos recettes sont prévues pour 2 personnes.

Bon appétit!

Soupe de tomates nordique

¼ l de soupe de tomates
1 tasse de crevettes
quelques gouttes de sauce Worcester
sel, poivre
1 cuillerée à café de gin
½ tasse de crème fraîche
quelques branches d'aneth

Faire chauffer la soupe de tomates dans une casserole; ajouter les crevettes bien égouttées. Ajouter la sauce Worcester; saler, poivrer. Parfumer de gin. Napper de crème fraîche. Saupoudrer d'aneth. Servir aussitôt.

Soupe de tomates aux fines herbes

1 cuillerée à soupe de beurre ou de margarine
1 petit oignon
3 oignons nouveaux
4 tranches fines de jambon cuit
½ tasse de vin blanc
½ tasse de crème fraîche
quelques brins de ciboulette, quelques branches de persil
¼ l de soupe de tomates
sel, poivre
quelques gouttes de citron
quelques gouttes de sauce Worcester

Faire chauffer le beurre ou la margarine dans une casserole. Ajouter l'oignon coupé en dés et les oignons nouveaux coupés en lanières. Ajouter le jambon coupé en petits morceaux. Laisser cuire quelques minutes. Mouiller avec le vin blanc. Incorporer la crème fraîche. Ajouter les fines herbes et les autres aromates avant de servir.

Potage aux poivrons

4 cuillerées à soupe de beurre ou de margarine
1 gousse d'ail
½ cuillerée à café de sel
½ poivron rouge, ½ poivron vert
1 oignon
4 tranches de salami
1 pointe d'origan
1 pointe de basilic
1 tasse de jus de viande
½ tasse de vin rouge
¼ l de soupe de tomates
1 petite branche de basilic

Faire chauffer le beurre ou la margarine dans une casserole; mettre la gousse d'ail broyée avec le sel. Ajouter les poivrons lavés et coupés en lanières ainsi que l'oignon coupé en rondelles. Laisser mijoter.
Ajouter les tranches de salami coupées en deux, l'origan, le basilic, le jus de viande, le vin rouge et la soupe de tomates. Couvrir et laisser cuire 5 mn à petit feu. Vérifier l'assaisonnement et servir avec le basilic.

Soupe jardinière

1 cuillerée à soupe de beurre ou de margarine
1 oignon
100 g de rôti froid
1 petite boîte de macédoine de légumes
½ tasse de vin blanc
¼ l de soupe de tomates
1 tasse de crème fraîche
sel, poivre
1 pincée de muscade
½ bouquet de ciboulette

Faire chauffer le beurre ou la margarine dans une casserole. Ajouter l'oignon émincé. Ajouter le rôti coupé en petits dés. Faire revenir quelques minutes. Ajouter la macédoine de légumes bien égouttée.
Mouiller de vin blanc. Ajouter la soupe de tomates. Couvrir et laisser cuire 5 mn à feu moyen. Incorporer la crème. Saler, poivrer, ajouter la muscade. Incorporer la ciboulette coupée et servir.

Soupe à la viande fumée

1 cuillerée à soupe de beurre ou de margarine
1 petit oignon
100 g de bœuf fumé cuit
1 bocal de légumes au vinaigre
1 tasse de jus de viande
¼ l de soupe de tomates
1 cuillerée à soupe de miel
sel, poivre
3 cuillerées à soupe de fines herbes

Faire chauffer le beurre ou la margarine dans une casserole. Faire revenir l'oignon finement haché. Couper le bœuf en tranches très fines; ajouter à l'oignon et laisser cuire quelques minutes.
Bien égoutter les légumes au vinaigre, les couper en petits cubes avant de les ajouter à la viande. Couvrir avec le jus de viande et la soupe de tomates. Ajouter le miel. Saler, poivrer. Saupoudrer de fines herbes.

L'alpha et l'oméga de la cuisine rapide fines herbes, condiments & Co

Un cuisinier professionnel ne saurait se passer de fines herbes et de condiments. Usez-en davantage, vous aussi, à côté des classiques sel et poivre. Prudence, toutefois, pour les néophytes … il n'est pas si facile de rattraper un plat trop assaisonné. Les chefs eux-mêmes ont du mal à réparer ce genre de dommage. La modération s'impose donc. Mieux vaut goûter plus souvent et rajouter ce qui manque. Utilisez sel et sucre avec parcimonie. Une petite pincé suffit à relever la saveur des plats et des autres condiments. L'huile et le vinaigre, eux aussi, développent bien l'arôme des fines herbes et des condiments. L'art de l'assaisonnement n'est qu'une question de pratique, que chacun est capable d'acquérir avec un peu de doigté. Voici quelques conseils pour vous faciliter les choses.

Fines herbes, condiments … trois ou quatre trucs qu'il faut savoir

Il faut faire cuire les aromates secs, mais n'ajouter les frais, en revanche, qu'au moment de servir.
Il faut conserver condiments et fines herbes dans un endroit très aéré et sombre pour qu'ils gardent leur arôme.
On peut conserver des fines herbes fraîches quelque temps enveloppées dans un torchon humide. Il vaut mieux en faire pousser sur un appui de fenêtre et les cueillir au fur et à mesure des besoins.
N'oubliez pas qu'herbes et condiments ne sont là que pour apporter une touche raffinée aux mets. Ceux-ci doivent garder leur saveur propre, qu'exaltera l'assaisonnement.
Au moment de servir, pensez à ôter certains condiments du plat – feuilles de laurier, baies de genièvre ou grains de poivre –, car il est désagréable de les sentir croquer sous la dent. Pensez à enfermer les condiments dans de petits sachets de toile ou de coton, qu'il sera ensuite aisé d'enlever du plat.

Sel

Une cuisine digne de ce nom utilise peu de sel; les aliments, en effet, en contiennent déjà. Les produits prêts à l'emploi sont salés. N'abusez donc pas du sel, dans l'intérêt de votre santé. Il existe divers types de sel: gros sel, sel de table, sel iodé, sel marin, ainsi que les sels aromatisés.

Sucre

Il est un ingrédient obligé de la cuisine raffinée. Sachez cependant que son abus n'a pas de conséquences fâcheuses que sur la seule silhouette. Une petite pincée, en revanche, arrondira la saveur de vos mets.

Vinaigre

On trouve, dans le commerce, des vinaigres de vin ou de fruits. Vin rouge ou vin blanc, c'est affaire de goût. Par contre, faites attention au degré d'acidité. Le vinaigre de fruits est généralement produit à partir de pommes; il est beaucoup plus doux que le vinaigre de vin et, partant, beaucoup plus digeste. Il existe aussi différents vinaigres aux herbes, ainsi que le vinaigre balsamique d'Italie.

Huile

Donnez la préférence aux huiles pressées à froid. Outre un arôme prononcé, elles ont une valeur nutritive très élevée. Utilisez-les surtout pour les salades et les mets qui cuisent peu. Il y a des huiles spéciales pour la friture, qui supportent de fortes températures.

Beurre ou margarine

Ces deux matières grasses n'ont guère d'influence sur la saveur de nombre de mets. Votre préférence pour l'une ou l'autre sera affaire de goût, sauf si le médecin vous a prescrit un régime. Il ne faut pas les employer pour la friture.

Liant

Vous devez toujours avoir de la fleur de farine et de la maïzena sous la main pour lier sauces et potages et confectionner les entremets. Les liants instantanés sont précieux dans la cuisine rapide.

Bouillons et condiments

N'usez qu'avec modération des divers bouillons – de légumes, de poisson, de volaille ou extrait de viande. Leur saveur condimentaire trop prononcée détruit le goût des mets. Si vous tenez au glutamate et autres produits intensifiant le goût, n'en abusez pas.

Sauces condimentaires

Citons, entre autres, la sauce Worcester, le tabasco, le ketchup, la sauce au chile, la sauce de soja, le chutney, le relish. Toutes ces préparations sont d'un emploi commode dans la cuisine rapide. Essayez toutefois de confectionner vous-mêmes une ou deux sauces d'assaisonnement.

Moutarde

En règle générale, la plupart des plats se préparent avec une moutarde ni forte ni douce. Lorsque vous achetez de la moutarde, vérifiez la bonne fermeture du tube ou du pot de verre. Mise au réfrigérateur, la moutarde se conservera plus longtemps sans perdre son arôme. Cela vaut aussi pour le raifort, indispensable dans la cuisine rapide.

Produits laitiers

Ils constituent un problème pour nombre de foyers. Pour une ou deux personnes, leur emploi quotidien ne s'impose pas . . . et pourtant, la cuisine rapide ne saurait s'en passer. La crème tourne vite. Choisissez donc des produits de longue conservation, mais achetez frais lait et yaourts.

Basilic

Cette plante aromatique, qui parfume le pistou de Provence, agrémente tous les plats de viande, de volaille et de légumes.

Le basilic apporte une note raffinée aux pot-au-feu, aux sauces et aux tomates en salade. Préférez la plante fraîche.

Sarriette

C'est la sarriette des jardins que l'on cultive comme condiment. Elle accompagne les plats de légumineuses, le mouton et l'agneau, ainsi que les pot-au-feu et les soufflés.

Poivre de Cayenne

Le poivre de Cayenne ou cayenne est le nom d'un piment. Son fort arôme tout de subtilité fait merveille dans le goulasch, les pot-au-feu et, bien sûr, dans le chili con carne.

Prudence, cependant, en assaisonnant – une petite pincée suffit à relever le mets.

Cari

C'est un assaisonnement indien composé de diverses épices – gingembre, coriandre, cardamome, curcuma, poivre, cumin, clou de girofle, muscade, pour ne citer que les plus utilisées – que l'on pulvérise et mélange.

Cumin

Utilisez, pour votre cuisine, la plante entière que vous pilerez au mortier; sa saveur sera plus prononcée que celle du cumin acheté moulu. Le cumin n'a pas son pareil pour agrémenter choucroute et chou rouge.

Il parfume bien aussi le goulasch, le rôti de porc et le rôti d'agneau.

Laurier

On utilise les feuilles de laurier séchées pour les marinades, les courts-bouillons de poisson, de viande et de volaille.

De petites feuilles suffisent pour une à deux personnes. On peut aussi couper une grosse feuille en deux.

Marjolaine

La marjolaine est la forme cultivée de l'origan qui croît à l'état sauvage dans les régions méditerranéennes. Tous deux ont un arôme prononcé; il faut donc en user avec parcimonie. La marjolaine est le condiment idéal pour la viande hachée, les plats de porc et de pommes de terre, les pot-au-feu.

Muscade

On trouve, dans le commerce, la muscade pulvérisée ou la noix entière. On trempe généralement celle-ci dans du lait de chaux, ce qui lui donne sa couleur blanchâtre. Fraîchement râpée, la muscade parfume délicatement légumes, potages et pot-au-feu.

Clou de girofle

De nos jours, nous utilisons ce bouton floral séché aussi volontiers que nos grand-mères le faisaient. Pulvérisée ou entière, la girofle assaisonne tous les plats de chou, les bouillons, les gâteaux de Noël et les conserves. A n'utiliser qu'en petites quantités.

Paprika

On en trouve quatre variétés, allant du très fort au doux.

Le paprika est universel et très apprécié; il accompagne presque tous les plats.

Poivre

Le poivre est, aujourd'hui encore, un condiment de base de notre cuisine. Sa saveur est plus ou moins prononcée selon qu'il est vert, noir, blanc ou rose. On l'emploie même, ici et là, pour confectionner des plats sucrés. Les cerises ou les fraises cuites au poivre vert sont un délice!

Romarin

En raison de sa forte saveur, on utilise généralement le romarin seul. Il donne une note délicate au poisson, au gibier, aux plats d'agneau, au poulet rôti, aux ragoûts, aux pot-au-feu et au goulasch. Le romarin convient bien aussi pour les potages, les salades et les sauces.

Thym

On ne saurait se passer de cette plante originaire du Bassin méditerranéen. On peut l'employer pour relever potages, sauces, pot-au-feu, viande de porc et d'agneau. Songez-y aussi pour raffiner un plat de volaille.

Vanille

La vanille est le condiment type des entremets et desserts. Selon la recette, on utilise la vanille sous forme de gousse ou de sucre (la gousse a un goût plus délicat). La vanille ne doit pas être stockée trop longtemps; elle perd facilement de son arôme.

Baies de genièvre

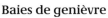

Tout le monde connaît les petites baies noires du genévrier. Elles parfument bien les plats de gibier, les choux et les courts-bouillons. Par distillation, on obtient de l'eau-de-vie ou du gin.

Amuse-gueule

Une ou deux petites gourmandises flattent le palais du gourmet. Libre à vous de les savourer seul, à deux ou entre amis comme prélude à votre repas. Les nombreuses recettes qui suivent dans ce chapitre sont un succès garanti.

Petit pain garni

Préparation: 15 mn

Pour 1 personne, il faut:

*1 petit pain de campagne ou de
seigle
1 cuillerée à soupe de sauce
rémoulade
1 tranche de jambon cuit
1 tranche de salami
1 cuillerée à café de beurre ou de
margarine
1 cuillerée à café de sel
1 gousse d'ail
1 oignon nouveau
½ tranche d'ananas
30 g d'emmental râpé
2 cuillerées à soupe de ciboulette
fraîche
sel
poivre frais moulu
1 pointe de poivre de Cayenne
2 cuillerées à soupe de cresson
frais*

Comment procéder:

Couper le petit pain en deux et
enduire chaque face de sauce
rémoulade. Disposer le jambon
et le salami.
Faire fondre le beurre ou la margarine dans une poêle. Faire revenir la gousse d'ail broyée avec
le sel.
Couper l'oignon nouveau en fines lanières, mettre dans la
poêle et faire revenir rapidement.
Ajouter l'ananas coupé en dés.
Retirer la poêle du feu. Incorporer l'emmental et la ciboulette.
Ajouter le sel, le poivre et le poivre de Cayenne. Répartir le mélange en couche régulière sur le
pain.
Placer dans le four préchauffé à
200°C ou au gril. Laisser cuire
5 mn.
Saupoudrer de cresson. Disposer
les deux moitiés l'une sur l'autre
et servir.

Petit pain aux oignons

Préparation: 15 mn

Pour 1 personne, il faut:

*1 petit pain de campagne ou de
seigle
1 cuillerée à soupe de sauce
rémoulade
quelques feuilles de laitue
1 tomate
1 steak haché mince
1 cuillerée à soupe d'huile
2 tranches fines de lard maigre
fumé
1 oignon
2 cuillerées à soupe de crème
fraîche
2 cuillerées à soupe de ketchup au
cari
sel
poivre frais moulu
1 pincée de poivre de Cayenne
fines herbes*

Comment procéder:

Couper le petit pain en deux; enduire chaque face de sauce rémoulade. Garnir l'une des moitiés des feuilles de laitue et de la tomate coupée en rondelles. Faire cuire dans l'huile le steak haché des deux côtés; retirer de la poêle et disposer sur la tomate.

Mettre le lard dans la poêle; ajouter l'oignon coupé en fines rondelles.

Mélanger la crème fraîche et le ketchup. Ajouter le sel, le poivre et le poivre de Cayenne. Disposer sur le steak avec le lard et l'oignon.

Garnir de fines herbes. Placer les deux moitiés l'une sur l'autre et servir.

Petit pain de campagne gratiné

Préparation: 15 mn

Pour 1 personne, il faut:

1 cuillerée à soupe de beurre d'estragon
1 mince tranche de foie de veau
sel
poivre frais moulu
1 tranche de lard maigre fumé
1 oignon
1 pointe de thym
1 petit pain de campagne ou de seigle
1 cuillerée à soupe de beurre ou de margarine
½ tranche d'ananas
quelques cerises
40 g de mozarella
1 cuillerée à soupe de parmesan râpé
2 cuillerées à soupe de ciboulette fraîche

Comment procéder:

Faire chauffer le beurre d'estragon dans une poêle. Faire revenir le foie de veau, retirer du feu; saler, poivrer et tenir au chaud.

Faire revenir le lard dans la même poêle; retirer du feu et tenir au chaud.

Couper l'oignon en fines lanières; le faire revenir dans le reste de beurre. Saler, poivrer, ajouter le thym.

Couper le petit pain en deux; tartiner chaque moitié de beurre.

Disposer le foie de veau, le lard et l'oignon sur le pain.

Ajouter l'ananas et les cerises. Ajouter la mozarella coupée en tranches. Saupoudrer de parmesan. Mettre dans le four préchauffé à 200°C ou sous le gril. Saupoudrer de ciboulette. Placer la seconde moitié de pain.

Toast aux légumes

Préparation: 10 mn

Pour 1 personne, il faut:

2 tranches de pain de mie
1 cuillerée à soupe de beurre
d'estragon
2 tranches de jambon cuit
2 tranches de salami
1 tomate
1 petit concombre
½ œuf dur
sel
poivre frais moulu
1 cuillerée à soupe de crème
fraîche
1 cuillerée à soupe de mayonnaise
2 cuillerées à soupe de ketchup au
cari
quelques gouttes d'eau-de-vie
1 pincée de sucre
2 cuillerées à soupe de cresson
frais
2 tranches de gouda
quelques radis

Comment procéder:

Faire griller le pain de mie.
Tartiner de beurre d'estragon.
Garnir d'une tranche de jambon
et de salami chacun des deux
toasts.
Couper la tomate, le concombre
et l'œuf en rondelles. Disposer
sur les toasts en couche régulière.
Saler et poivrer.
Mélanger la crème fraîche, la
mayonnaise et le ketchup. Parfumer d'eau-de-vie. Ajouter sel,
poivre et sucre.
Napper les toasts de sauce.
Saupoudrer de cresson et ajouter le gouda.
Mettre au four ou sous le gril jusqu'à ce que le fromage soit fondu.
Couper les radis en rondelles et
en garnir les toasts.

Toast au paprika

Préparation: 5 mn

Pour 1 personne, il faut:

2 tranches de pain de mie
1 cuillerée à café de beurre ou de
margarine, 1 œuf dur
4 tranches de pâté au paprika
¼ de poivron rouge
¼ de poivron vert
2-3 cuillerées à soupe de salade
hongroise
2-3 cuillerées à soupe de sauce
hongroise
2 cuillerées à soupe de cresson
frais

Comment procéder:

Faire griller le pain de mie. Enduire chaque tranche de beurre
ou de margarine. Enduire de
pâté.
Couper l'œuf en rondelles.
Disposer les poivrons coupés en
anneaux, la salade et les rondelles d'œuf.
Napper de sauce. Saupoudrer de
cresson et servir.

Toast aux sardines

Préparation: 5 mn

Pour 1 personne, il faut:

*2 tranches de pain de mie
2 cuillerées à soupe de beurre
d'estragon ou de margarine
1 petite boîte de sardines
1 petit oignon
quelques olives farcies
½ tranche d'ananas
2 cuillerées à soupe de ketchup au
cari
2 cuillerées à soupe de ciboulette
fraîche*

Comment procéder:

Faire griller le pain de mie; l'enduire de beurre ou de margarine.
Disposer sur chaque tranche les sardines bien égouttées.
Couper l'oignon en deux, puis en rondelles; couper les olives en rondelles et l'ananas en deux.
Répartir l'oignon, les olives et l'ananas sur le pain.
Napper de ketchup; saupoudrer de ciboulette et servir.

NOTRE CONSEIL

Les toasts permettent de confectionner mille et une préparations rapides. Que le pain soit blanc ou noir, la garniture fera de ce repas un régal. Voici encore quelques suggestions:

Beurre d'estragon, feuilles de laitue, tranches de filet de porc rôti, oignon cuit, fromage pour gratiner.

Crème fraîche et fines herbes, feuilles de laitue, crevettes, 1 œuf sur le plat.

Beurre ou margarine, feuilles de laitue, filets de truite fumés, crème de raifort, compote d'airelles.

Sauce rémoulade, feuilles de laitue, steak haché coupé en tranches, rondelles d'oignon.

Beurre ou margarine, feuilles de laitue, tranches de saumon, crème de raifort, tomate coupée en dés.

Toast à la tomate

Préparation: 5 mn

Pour 1 personne, il faut:

*2 tranches de pain de mie
2 cuillerées à soupe de sauce
rémoulade
4 tranches de rosbif
1 tomate
1 petit oignon
quelques radis
1 œuf dur
1 cuillerée à soupe de ciboulette
fraîche*

Comment procéder:

Faire griller le pain de mie; l'enduire de sauce rémoulade.
Couper la tomate en rondelles.
Garnir chaque toast de tomate et de rosbif.
Couper l'oignon et les radis en rondelles; disposer sur le pain.
Couper l'œuf en rondelles; disposer sur le pain.
Saupoudrer de ciboulette et servir.

Poêlée de moules rapide

Préparation: 20 mn

Pour 2 personnes, il faut:

250 g de moules décortiquées
2 oignons nouveaux
50 g de champignons de Paris frais
½ boîte de mandarines
jus d'½ citron
1 cuillerée à café d'eau-de-vie
100 g de beurre ou de margarine
1 cuillerée à café de sel
1 gousse d'ail
2 cuillerées à soupe de pâte de sardine
quelques brins de ciboulette
quelques branches de persil
quelques brins de thym
quelques branches de menthe poivrée
quelques branches de basilic
sel
poivre frais moulu
quelques gouttes de sauce Worcester

Comment procéder:

Répartir les moules dans 2 petites poêles. Éplucher les oignons et les ajouter aux moules après les avoir coupés en lanières. Éplucher et couper les champignons en lamelles. Les ajouter aux moules.
Ajouter les mandarines.
Aromatiser de jus de citron et d'eau-de-vie.
Battre le beurre ou la margarine jusqu'à obtention d'une pâte crémeuse. Incorporer la gousse d'ail broyée avec le sel et la pâte de sardine.
Trier et hacher menu les fines herbes. Les ajouter au beurre ou à la margarine.
Bien mélanger le tout. Saler, poivrer, ajouter la sauce Worcester. Verser le beurre sur les moules.
Mettre dans le four préchauffé à 200°C et laisser cuire 10 mn. Sortir et servir.

Gratin de calmar

Préparation: 20 mn

Pour 2 personnes, il faut:

*400 g d'anneaux de calmar pané
prêt à l'emploi (surgelé)
huile pour la friture*

Pour la sauce:

*2 cuillerées à soupe de beurre ou
de margarine
1 poireau
4 tomates
½ tasse de vin blanc
½ tasse de crème
sel, poivre
1 pincée de condiments
1 pointe d'origan
1 pointe de basilic*

En outre:

*jus d'1 citron
100 g de mozarella
2 cuillerées à soupe de ciboulette
fraîche*

Comment procéder:

Mettre le calmar dans la friture.
Sortir, bien égoutter et tenir au
chaud.
Faire chauffer le beurre ou la
margarine dans une poêle; faire
revenir le poireau coupé en petits dés.
Ajouter les tomates pelées, épépinées et coupées en petits dés.
Ajouter le vin blanc et la crème.
Laisser cuire 5 mn.
Ajouter les condiments.
Mettre le calmar dans un poê-
lon. Verser le jus de citron. Napper de sauce et garnir avec la
mozarella coupée en tranches.
Faire gratiner au four. Saupoudrer de ciboulette et servir.

Truite fumée à la sauce au caviar

Préparation: 10 mn

Pour 2 personnes, il faut:

2 filets de truite fumée
1 pomme acide
½ tasse de vin blanc
jus d'½ citron
1 pincée de sucre
½ bâton de cannelle

Pour la sauce au caviar:

6 cuillerées à soupe de crème fraîche
1 cuillerée à soupe de raifort
1 cuillerée à soupe de moutarde douce
2 cuillerées à soupe de vinaigre de fruits
1 cuillerée à soupe de jus de citron
2 cuillerées à soupe de miel
sel
poivre frais moulu
2 cl de liqueur d'orange
1 bocal d'œufs de caviar rouge

En outre:

4 feuilles de laitue
quelques fines herbes

Comment procéder:

Ôter la peau de la truite; préparer les filets.
Peler, épépiner et couper la pomme en rondelles.
Verser le vin blanc et le jus de citron dans un bol; ajouter le sucre et la cannelle.
Laisser macérer la pomme 5 mn dans le mélange.
Pendant ce temps, battre la crème fraîche, le raifort, la moutarde, le vinaigre, le jus de citron et le miel jusqu'à obtention d'un mélange crémeux.

Saler et poivrer. Aromatiser de liqueur d'orange. Incorporer délicatement les œufs de caviar.
Dresser les feuilles de laitue sur un plat; ajouter les rondelles de pomme bien égouttées et les filets de truite.
Napper de sauce au caviar. Garnir de fines herbes et servir.

Tomates aux crevettes

Préparation: 10 mn

Pour 1 personne, il faut:

*2 grosses tomates charnues
100 g de crevettes
½ oignon
½ boîte de pointes d'asperges
2 cuillerées à soupe de cresson
frais*

Pour la sauce:

*2 cuillerées à soupe de crème
fraîche
1 cuillerée à soupe de mayonnaise
jus d'½ citron
sel
poivre frais moulu
1 pincée de sucre
2 cl de liqueur d'œuf*

En outre:

*quelques feuilles de laitue
quelques fines herbes*

Comment procéder:

Évider et épépiner les tomates. Laver les crevettes sous l'eau froide, bien égoutter. Dresser dans un plat.
Émincer l'oignon avant de le mélanger avec les pointes d'asperges bien égouttées et le cresson haché menu. Incorporer aux crevettes.
Battre la crème fraîche avec la mayonnaise et le jus de citron jusqu'à obtention d'un mélange homogène; saler, poivrer, ajouter le sucre.
Parfumer la sauce avec la liqueur d'œuf. Napper de sauce la salade de crevettes.
Dresser les feuilles de laitue sur un plat. Disposer les tomates et la salade de crevettes.
Garnir de fines herbes et servir.

29

Oignons farcis à la sauce tomate

Préparation: 25 mn

Pour 1 personne, il faut:

2 petits oignons

Pour la farce:

125 g de chair à saucisse épicée
2 cuillerées à soupe de chapelure
1 œuf
1 cuillerée à soupe de ciboulette fraîche
1 cuillerée à soupe de persil finement haché
½ cuillerée à soupe de moutarde douce
½ cuillerée à soupe de raifort
½ cuillerée à café de paprika doux
½ cuillerée à café de cari
quelques gouttes de tabasco
sel
poivre frais moulu

Pour la sauce tomate:

1 cuillerée à soupe d'huile d'olive
50 g de lard maigre fumé
1 oignon nouveau
½ boîte (petite) de tomates pelées
½ tasse de sangrita piquante
½ cuillerée à café de poudre d'ail
1 pincée de condiments
1 cuillerée à café de basilic

Comment procéder:

Éplucher les oignons; les blanchir à l'eau salée.
Sortir de l'eau, bien égoutter.
Découper un couvercle, évider à l'aide d'une cuillère à café et hacher menu la pulpe retirée.
Mélanger la pulpe hachée, la chair à saucisse, la chapelure, l'œuf et les fines herbes.
Ajouter la moutarde, le raifort, le paprika, le cari et le tabasco.
Bien mélanger l'ensemble. Saler, poivrer. Garnir les oignons avec la farce.

Faire chauffer l'huile d'olive dans une poêle. Faire revenir le lard coupé en petits dés.
Ajouter l'oignon nouveau épluché et coupé en fines lanières, les tomates pelées et la sangrita.
Ajouter la poudre d'ail, les condiments, le basilic, le sel et le poivre à la sauce. Mettre dans un plat à gratin.
Dresser les oignons dans le plat. Laisser cuire 15 mn dans le four préchauffé à 200°C. Sortir et servir.

FARCE AU LARD ET AU FROMAGE

50 g de lard maigre fumé
1 oignon nouveau
½ tranche d'ananas
1 œuf
sel
poivre frais moulu
½ cuillerée à soupe de moutarde
douce
1 cuillerée à soupe de chapelure
50 g d'emmental râpé

Faire revenir dans une poêle le lard coupé en petits dés. Ajouter l'oignon nouveau épluché et coupé en lanières ainsi que la pulpe d'oignon hachée. Retirer du feu, mettre à refroidir. Incorporer l'ananas coupé en petits dés et l'œuf. Saler, poivrer. Ajouter la moutarde. Lier avec la chapelure; incorporer l'emmental. Garnir les oignons avec la farce et procéder comme décrit précédemment.

FARCE AU JAMBON ET AUX CHAMPIGNONS

50 g de jambon cuit
½boîte (petite) de champignons
de Paris
1 cuillerée à soupe de crème
fraîche
1 cuillerée à soupe de fines herbes
hachées
sel
poivre frais moulu
1 pincée de muscade
½ cuillerée à café de jus de citron
½ cuillerée à café de sauce Worcester
cester
50 g de roquefort
1 cuillerée à soupe de parmesan

Hacher finement le jambon et les champignons bien égouttés. Mélanger à la pulpe d'oignon hachée, à la crème fraîche et aux fines herbes. Ajouter le sel, le poivre, la muscade, le jus de citron et la sauce Worcester. Incorporer le roquefort. Garnir les oignons avec la farce. Saupoudrer de parmesan et procéder comme décrit précédemment.

Jambon roulé à la sauce piquante

Préparation: 15 mn

Pour 1 personne, il faut:

3 tranches de jambon cuit

Pour la farce:

1 petit poireau mince
½ cuillerée à soupe de mayonnaise
1 cuillerée à soupe de ketchup
½ cuillerée à soupe de raifort
½ cuillerée à café de poivre vert en grains, sel, poivre
1 cuillerée à soupe de ciboulette fraîche

Pour la sauce:

1 tasse de crème
1 tasse de bouillon de viande
2 cuillerées à soupe de farine
1 pincée de muscade
quelques gouttes de sauce Worcester
quelques gouttes de citron
50 g d'emmental râpé

Comment procéder:

Mettre le jambon sur le plan de travail.
Faire blanchir le poireau épluché et coupé en 4 morceaux égaux dans de l'eau salée.
Sortir le poireau de l'eau; bien égoutter et répartir sur le jambon.
Mélanger la mayonnaise, le ketchup, le raifort, le poivre vert en grains et la ciboulette. Saler, poivrer. Répartir le tout sur les morceaux de poireau.
Rouler les tranches de jambon; les maintenir à l'aide d'un cure-dent. Placer dans un plat à gratin.
Pour la sauce, mélanger tous les ingrédients et verser sur le jambon roulé. Laisser gratiner 10 mn dans le four préchauffé à 200°C.

FARCE AUX ASPERGES

2 cuillerées à soupe de sauce rémoulade
1 petite boîte d'asperges
1 tomate
2 cuillerées à soupe de basilic finement haché

Enduire les tranches de jambon de sauce rémoulade. Mélanger les asperges bien égouttées et la tomate pelée, épépinée et coupée en dés.
Garnir les tranches de jambon avec la farce. Saler, poivrer. Saupoudrer de basilic et procéder comme décrit précédemment.

FARCE AUX CREVETTES

1 petit bocal de crevettes
2 cuillerées à soupe de crème fraîche avec fines herbes
½ cuillerée à café de jus de citron
quelques gouttes de sauce Worcester
2 cuillerées à soupe d'aneth frais haché

Répartir les crevettes bien égouttées sur le jambon. Mélanger le reste des ingrédients. Saler, poivrer. Répartir sur le jambon et procéder comme décrit précédemment.

FARCE A LA CHAIR A SAUCISSE

2 saucisses crues
1 cuillerée à café de moutarde
1 cuillerée à café de raifort
1 cuillerée à café de poivre vert en grains
quelques gouttes d'eau-de-vie
4 cuillerées à soupe de ciboulette fraîche

Mélanger la chair à saucisse avec le reste des ingrédients. Saler, poivrer.
Répartir l'ensemble sur les tranches de jambon et procéder comme décrit précédemment.

FARCE A LA SAUCISSE DE FOIE

80 g de saucisse de foie
1 oignon finement haché
2 cuillerées à soupe de persil finement haché
1 boîte de champignons
2 cuillerées à soupe de chapelure
1 cuillerée à soupe de compote d'airelles
quelques gouttes d'eau-de-vie

Mélanger la saucisse de foie avec l'oignon et le persil. Laisser bien égoutter les champignons avant de les couper en dés.
Mélanger tous les ingrédients. Saler, poivrer. Répartir la farce sur les tranches de jambon et procéder comme décrit précédemment.

FARCE AUX ENDIVES

2 endives
1 cuillerée à café de moutarde
1 cuillerée à café de raifort
4 cuillerées à soupe de crème fraîche
1 cuillerée à café de poivre vert en grains
1 cuillerée à café d'origan
quelques gouttes d'eau-de-vie
1 cuillerée à café de sauce tomate

Couper les endives en deux avant de les laver et d'ôter le trognon.
Mélanger le reste des ingrédients. Répartir la farce et les endives sur les tranches de jambon et procéder comme décrit précédemment.

FARCE AU FROMAGE

quelques feuilles de chicorée de Trévise   100 g de mozarella
2 cuillerées à soupe de fines herbes hachées

Répartir les feuilles de trévise sur les tranches de jambon.
Ajouter la mozarella coupée en dés et les fines herbes.

Mets raffinés de la cuisine rapide

Vous trouverez dans ce chapitre quelques recettes gourmandes bien faites pour apaiser une légère fringale de gourmet.
Simples et rapides à préparer, de digestion facile, plats exotiques, viande et poisson délicats sont un plaisir pour le palais.

Porc exotique

Préparation: 15 mn

Pour 1 personne, il faut:

150 g de longe de porc maigre
1 gousse d'ail
½ cuillerée à café de sel
2 cuillerées à soupe d'huile d'olive
1 petit oignon
2 oignons nouveaux
¼ de poivron rouge
¼ de poivron vert
1 tranche d'ananas
1 tasse de jus de viande
2 cuillerées à soupe de ketchup
2 cuillerées à soupe de miel
2 cuillerées à soupe de vinaigre de fruits
1 cuillerée à soupe de sauce de soja
quelques gouttes de tabasco
1 pincée de glutamate
sel
poivre frais moulu
1 cuillerée à soupe de ciboulette fraîche

Comment procéder:

Couper le porc en minces lanières.
Broyer la gousse d'ail avec le sel; la faire revenir dans une poêle avec l'huile d'olive.
Ajouter la viande. Faire revenir à feu vif.
Éplucher, laver et couper en lanières l'oignon, les oignons nouveaux et les poivrons. Ajouter à la viande et laisser cuire 5 mn en remuant.
Couper l'ananas en petits dés; ajouter à la viande. Couvrir avec le jus de viande.
Ajouter le ketchup, le miel, le vinaigre, la sauce de soja et le tabasco.
Ajouter le glutamate. Saler, poivrer. Saupoudrer de ciboulette et servir.

Médaillons de veau aux morilles

Préparation: 25 mn

Pour 1 personne, il faut:

2 médaillons de veau
1 tranche d'emmental
de la matière grasse
sel
poivre frais moulu

Pour la sauce:

1 cuillerée à soupe de beurre ou de margarine
1 petit oignon
1 tranche de jambon cuit
25 g de morilles mises à tremper une nuit
2 cuillerées à soupe de vin blanc
1 tasse de jus de viande
1 cuillerée à soupe de crème fraîche
½ cuillerée à café de jus de citron
quelques gouttes de sauce de soja
1 pincée de sucre
1 cuillerée à soupe de ciboulette fraîche
1 cuillerée à soupe de parmesan râpé

Comment procéder:

Essuyer le veau avec de l'essuie-tout.
Couper l'emmental en lanières et en larder la viande.

Faire revenir les médaillons dans une poêle avec un peu de matière grasse; sortir. Saler, poivrer et tenir au chaud.
Faire fondre le beurre ou la margarine dans une poêle et faire revenir l'oignon finement haché.

Ajouter le jambon coupé en petits morceaux ainsi que les morilles bien égouttées. Laisser cuire brièvement.
Délayer avec le vin blanc et couvrir avec le jus de viande.
Ajouter la crème fraîche, le jus de citron, la sauce de soja, le sucre, le sel et le poivre.
Incorporer la ciboulette et le parmesan.
Dresser les médaillons dans un plat avec la sauce et servir.

Filet de bœuf
à la moelle

Préparation: 15 mn

Pour 1 personne, il faut:

200 g de filet de bœuf
de la matière grasse
sel
poivre frais moulu

Pour la sauce:

1 oignon
1 petite pomme acide
1 cuillerée à café de poivre vert en
grains
1 cuillerée à soupe de marmelade
d'oranges amères
2 cuillerées à soupe de cidre
1 tasse de jus de viande
1 pincée de thym
50 g de moelle de bœuf
fines herbes

Comment procéder:

Faire cuire le filet de bœuf (à point ou bien cuit) dans la matière grasse. Sortir. Saler, poivrer et tenir au chaud.
Faire revenir l'oignon finement haché.
Ajouter la pomme pelée, épépinée et coupée en rondelles et laisser cuire brièvement.
Ajouter le poivre en grains et la marmelade d'oranges. Délayer avec le cidre et couvrir avec le jus de viande.
Ajouter le thym. Saler et poivrer.
Couper la moelle de bœuf en tranches; ajouter à la sauce et porter à ébullition.
Napper le bœuf avec la sauce et garnir de fines herbes.

Scampi à la sauce au citron et à l'ail

Préparation: 15 mn

Pour 1 personne, il faut:

3-4 scampi de grosseur moyenne
sel
poivre frais moulu
quelques gouttes de sauce Worcester

Pour la sauce:

1 gousse d'ail
½ cuillerée à café de sel
1 cuillerée à soupe de zeste de citron râpé
1 pointe de thym
1 pointe d'origan
3 cuillerées à soupe d'huile d'olive
2 cuillerées à soupe de vin blanc
jus d'½ citron
3 cuillerées à soupe de crème fraîche
1 cuillerée à soupe de gelée de citron
2 cuillerées à soupe d'aneth frais haché

Comment procéder:

Laver les scampi sous l'eau froide; essuyer, saler, poivrer et imbiber de sauce Worcester.
Broyer la gousse d'ail avec le sel. Mélanger avec le zeste de citron, le thym, l'origan et l'huile d'olive.
Faire chauffer ce mélange dans une poêle et faire revenir les scampi.
Délayer avec le vin blanc. Ajouter le jus de citron.
Incorporer la crème fraîche et la gelée de citron. Bien faire revenir. Garnir d'aneth et servir.

Truite au vin

Préparation: 25 mn

Pour 1 personne, il faut:

¼ l d'eau
¼ l de vin blanc
1 tasse de vinaigre de fruits
de la cressonnette
1 feuille de laurier
quelques baies de genièvre
quelques grains de poivre
quelques clous de girofle
1 cuillerée à soupe de sel
1 pincée de sucre
quelques branches de persil
et de basilic
1 truite prête à l'emploi

Comment procéder:

Verser l'eau, le vinaigre et le vin
blanc dans une casserole et porter à ébullition.
Couper la cressonnette en très fines lanières. Ajouter dans le
bouillon avec les condiments et
laisser cuire 5 mn à petits bouillons.
Ajouter la truite lavée et laisser
cuire 10-15 mn à feu moyen. Servir avec des légumes. (Voir recette ci-après.)

Truite aux légumes en papillote

Préparation: 25 mn

Pour 1 personne, il faut:

1 truite prête à l'emploi
sel
poivre frais moulu
jus d'½ citron
quelques gouttes de sauce Wor-
cester
quelques branches de persil
quelques brins d'aneth

Pour la garniture de légumes:

1 petit oignon
2 oignons nouveaux
1 carotte
4 tomates cerises
1 petite feuille de laurier
quelques baies de genièvre
quelques grains de poivre
25 g de beurre d'estragon
2 cuillerées à soupe de vin blanc

Comment procéder:

Laver la truite sous l'eau froide;
essuyer, saler, poivrer. Imbiber
de jus de citron et de sauce Worcester.
Garnir la truite de persil et
d'aneth; placer sur une feuille
d'aluminium (laisser qqs cm de
chaque côté).
Éplucher, laver et couper l'oignon, les oignons nouveaux et la
carotte en très fines lanières.
Dresser les légumes sur la truite
avec les tomates cerises lavées,
les condiments et le beurre
d'estragon.
Ajouter le vin blanc et fermer la
feuille d'aluminium.
Laisser cuire 15 mn dans le four
préchauffé à 200°C. Sortir du
four, ouvrir la feuille d'aluminium et servir tel quel.

GARNITURE DOUCE-AMÈRE DE HARICOTS DE SOJA

2 cuillerées à soupe d'huile d'olive
50 g de jambon cuit
2 oignons nouveaux
100 g de germes de haricots de
soja
1 tranche d'ananas
½ tasse de vin blanc
2 cuillerées à soupe de vinaigre de
fruits
1 cuillerée à soupe de miel
2 cuillerées à soupe de fines herbes
hachées
sel
poivre frais moulu
1 pincée de glutamate

Faire chauffer l'huile d'olive
dans une poêle. Faire revenir le
jambon coupé en petites lanières.
Ajouter les oignons nouveaux
épluchés et coupés en lanières
ainsi que les germes de haricots
de soja. Laisser cuire brève-
ment.
Couper l'ananas en petits dés;
ajouter au soja. Délayer avec le
vin blanc et laisser cuire la sauce
5 mn à feu moyen.
Ajouter le vinaigre, le miel et les
fines herbes hachées. Saler, poivrer, ajouter le glutamate.
Verser la sauce sur la truite et
faire cuire comme précédemment indiqué.

Langue de bœuf en ragoût au madère

Préparation: 20 mn

Pour 2 personnes, il faut:

*300 g de langue de bœuf cuite
2 cuillerées à soupe de beurre ou
de margarine
50 g de lard maigre fumé
1 petit oignon*

Pour la sauce au madère:

*½ poivron rouge
½ poivron vert
50 g de champignons de Paris frais
1 petite boîte de tomates pelées
½ tasse de madère
1 tasse de jus de viande
½ tasse de crème sucrée
½ cuillerée à café de thym
½ cuillerée à café de romarin
1 cuillerée à café de sel
1 gousse d'ail
jus d'½ citron
quelques gouttes de sauce Worcester, poivre blanc frais moulu
sel, 1 pincée de sucre*

Comment procéder:

Couper la langue en petits morceaux.
Faire chauffer le beurre ou la
margarine dans une poêle et
faire revenir le lard coupé en petits dés.
Ajouter l'oignon finement haché. Laisser cuire.
Ajouter les poivrons coupés en
lanières ainsi que les champignons épluchés, lavés et coupés
en rondelles. Laisser cuire brièvement.
Ajouter les tomates, le madère,
le jus de viande et la langue.
Couvrir et laisser cuire 10 mn à
feu moyen. Ajouter pour finir la
crème.
Ajouter le thym, le romarin, la
gousse d'ail broyée avec le sel, le
jus de citron, la sauce Worcester, le sel, le poivre et le sucre.

SAUCE AU ROSÉ

*1 boîte de cèpes
1 petit bocal d'olives farcies
1 tasse de rosé
1 tasse de jus de viande
2 tomates
1 cuillerée à café de poivre vert en
grains
2 cuillerées à soupe de crème
fraîche
1 pointe de thym
sel, poivre frais moulu
1 pincée de sucre
1 pincée de condiments
2 cuillerées à soupe de ciboulette
fraîche*

Ajouter les cèpes, les olives coupées en deux et la langue aux oignons revenus. Délayer avec le
vin et le jus de viande et laisser
cuire 10 mn. Ajouter les tomates
pelées, épépinées et coupées en
dés ainsi que le reste des ingrédients. Assaisonner avec les condiments et la ciboulette.

Langue de bœuf en ragoût aux asperges

Préparation: 20 mn

Pour 2 personnes, il faut:

*300 g de langue de bœuf cuite
1 boîte de pointes d'asperges
1 petite boîte de champignons de Paris
2 cuillerées à soupe de beurre ou de margarine, 1 oignon
1 tasse de vin blanc
jus d'½ citron
1 cuillerée à soupe de farine
quelques gouttes de sauce Worcester, sel, poivre
1 pincée de condiments
2 cuillerées à soupe d'estragon finement haché*

Comment procéder:

Couper la langue en petits morceaux; bien égoutter les pointes d'asperges et les champignons. Prélever 1 tasse de l'eau des asperges.

Faire chauffer le beurre ou la margarine dans une poêle et faire revenir l'oignon coupé en petits dés.
Saupoudrer de farine, remuer. Couvrir avec le vin blanc, l'eau des asperges et le jus de citron. Laisser cuire quelques minutes. Ajouter la sauce Worcester, le sel, le poivre et les condiments. Incorporer la langue et les légumes à la sauce. Porter à ébullition, vérifier l'assaisonnement. Incorporer l'estragon et servir.

Bœuf en goulasch à la Madame Jeannette

Préparation: 15 mn

Pour 2 personnes, il faut:

300 g de filet de bœuf

2 cuillerées à soupe d'huile d'olive
sel
poivre frais moulu
1 cuillerée à soupe de beurre ou de margarine
1 petit oignon
50 g de champignons de Paris frais
1 cornichon
1 petite boîte de maïs
1 petit bocal de betteraves rouges
2 cuillerées à soupe de compote d'airelles
1 tasse de jus de viande
½ tasse de vin rouge

½ tasse de crème fraîche
½ cuillerée à café de cumin en poudre
2 cuillerées à soupe de vinaigre de fruits
1 cuillerée à soupe de miel
2 cl d'eau-de-vie de prunes
1 cuillerée à soupe de menthe poivrée finement hachée

Comment procéder:

Couper le filet de bœuf en petits morceaux; bien faire revenir

dans l'huile d'olive; saler, poivrer. Retirer du feu et tenir au chaud.

Faire chauffer le beurre ou la margarine dans la poêle et faire revenir l'oignon finement haché.

Éplucher, laver et bien faire égoutter les champignons. Couper les champignons et le cornichon en rondelles. Ajouter à l'oignon et laisser cuire brièvement.

Ajouter le maïs bien égoutté ainsi que les betteraves rouges égouttées et coupées en petits morceaux. Incorporer les airelles.

Couvrir avec le jus de viande et le vin rouge. Ajouter la crème fraîche.

Ajouter le cumin, le vinaigre et le miel. Saler, poivrer. Faire cuire la sauce brièvement.

Incorporer le filet de bœuf. Parfumer avec l'eau-de-vie de prunes. Saupoudrer de menthe et servir.

NOTRE CONSEIL

Viande de bœuf
Cette viande doit être bien faite. Comptez de 5 à 8 jours pour un rôti, de 3 à 5 jours pour une cuisson en casserole. Selon l'âge de l'animal, les fibres seront très fines ou moyennes, la couleur sera vive, jusqu'à rouge clair et celle du gras presque blanche.

Viande de veau
Les fibres doivent être absolument tendres. Couleur rose jusqu'à rouge clair.

Viande de porc
On trouve dans le commerce en majorité de la viande qui provient d'animaux âgés au plus d'1 an. Les fibres doivent être fines et légèrement veinées de graisse. Couleur rouge clair jusqu'à rose pour la viande et blanche pour le gras.

Filet de porc piquant aux haricots rouges

Préparation: 15 mn

Pour 2 personnes, il faut:

150 g de filet de porc
1 cuillerée à café de marjolaine
4 cuillerées à soupe d'huile d'olive
½ cuillerée à café de sel
1 gousse d'ail
sel
poivre frais moulu
50 g de lard maigre fumé
1 petit piment
1 oignon
½ poivron rouge
½ poivron vert
1 petite boîte de haricots rouges
½ tasse de sangrita piquante
1 tasse de jus de viande
1 pointe de paprika doux en poudre
1 cuillerée à café de cari
100 g de crème fraîche
1 cuillerée à soupe de ciboulette fraîche

1 cuillerée à soupe de persil finement haché

Comment procéder:

Couper le filet de porc en tranches; enduire de marjolaine.
Faire chauffer l'huile d'olive dans une poêle; faire revenir la gousse d'ail broyée avec le sel. Ajouter la viande, faire dorer de tous côtés, saler, poivrer. Ôter du feu et tenir au chaud.
Faire revenir le lard coupé en petits dés.
Hacher finement le piment et l'oignon. Ajouter au lard et faire revenir.
Éplucher les poivrons; couper en petits dés, ajouter au lard et laisser cuire brièvement.
Ajouter les haricots rouges, la sangrita et le jus de viande.
Assaisonner de paprika, de sel et de poivre.
Incorporer la viande.
Laisser cuire brièvement le ragoût. Vérifier l'assaisonnement. Incorporer la crème. Garnir de ciboulette et de persil et servir.

Plats quotidiens –
saveur originale

Côtelette panée, sauce de viande hachée, cuisse de poulet . . . qui ne connaît ces préparations vite faites de nos repas quotidiens?
Mais les recettes de ce chapitre montreront qu'une sauce onctueuse ou un assaisonnement ad hoc feront de ces plats banals des mets originaux.

Concombres farcis aux olives

Préparation: 25 mn

Pour 2 personnes, il faut:

4 concombres moyens
1 petit oignon
1 cornichon
1 cuillerée à soupe de poivrons au vinaigre
1 œuf
1 cuillerée à soupe de moutarde
2 cuillerées à soupe de ketchup au cari
250 g de chair à saucisse
sel
poivre frais moulu
quelques brins de ciboulette
quelques gouttes de tabasco
2-3 cuillerées à soupe de chapelure

Pour la sauce:

1 cuillerée à soupe de beurre ou de margarine
½ poivron rouge
½ poivron vert
1 oignon
50 g d'olives farcies
1 petite boîte de tomates pelées
1 tasse de jus de viande
1 pointe de basilic
1 pointe d'origan
1 pincée de sucre

Comment procéder:

Laver les concombres; ôter le tiers supérieur dans la longueur. Épépiner avec une cuillère à café. Faire blanchir très rapidement dans l'eau bouillante. Hacher finement l'oignon, le cornichon et les poivrons au vinaigre.
Ajouter l'œuf, la moutarde, le ketchup. Bien mélanger avec la chair à saucisse.
Ajouter le sel, le poivre et le tabasco. Incorporer la ciboulette finement hachée et la chapelure. Répartir le mélange sur les concombres.
Faire chauffer le beurre ou la margarine dans un récipient qui va au four. Faire revenir les poivrons coupés en dés et l'oignon haché.
Ajouter les olives coupées en deux et les tomates. Couvrir avec le jus de viande. Ajouter les condiments.
Mettre les concombres dans la sauce et laisser cuire 10-15 mn au four préchauffé à 200°C.

Concombres au fromage blanc

Préparation: 25 mn

Pour 2 personnes, il faut:

4 concombres moyens
125 g de fromage blanc maigre
2 œufs
2-3 cuillerées à soupe de chapelure
jus d'½ citron
1 cuillerée à soupe de moutarde douce
1 cuillerée à soupe de raifort râpé
½ tasse de fines herbes hachées
sel, poivre
50 g d'emmental râpé

Pour la sauce:

2 cuillerées à soupe de beurre ou de margarine
150 g de jambon cuit
2 cuillerées à soupe de sauce tomate
1 tasse de vin blanc

1 tasse de crème sucrée
2 cuillerées à soupe de farine
1 pincée de condiments

Comment procéder:

Laver les concombres; ôter le tiers supérieur dans la longueur. Épépiner avec une cuillère à café. Faire blanchir très rapidement dans l'eau bouillante. Mélanger les œufs et le fromage blanc dans un bol, ajouter la chapelure, le jus de citron, la moutarde, le raifort, les fines herbes, le sel et le poivre. Incorporer l'emmental et répartir le mélange sur les concombres.
Faire chauffer le beurre ou la margarine dans un plat qui va au four. Faire revenir le jambon coupé en lanières.
Ajouter la sauce tomate; délayer avec le vin blanc. Mélanger la crème et la farine et lier la sauce avec.
Saler et poivrer la sauce. Ajouter les condiments.
Mettre les concombres et laisser cuire 10-15 mn dans le four préchauffé à 200°C.

Concombres au jambon de Parme et au fromage

Préparation: 25 mn

Pour 2 personnes, il faut:

4 concombres moyens
3 oignons nouveaux
100 g de jambon de Parme
1 petit paquet de fromage frais demi écrémé
2 cuillerées à soupe d'eau-de-vie
4 cuillerées à soupe de parmesan
1 cuillerée à café de poivre vert en grains
sel, poivre frais moulu
1 pointe de thym
2 cuillerées à soupe d'aneth finement haché

Pour la sauce:

2 cuillerées à soupe de beurre ou de margarine
1 oignon
100 g de champignons de Paris
1 tasse de vin blanc
1 tasse de jus de viande
jus d'½ citron

1 pincée de sucre
1 pincée de condiments
½ bouquet de ciboulette

Comment procéder:

Laver les concombres; faire une légère entaille sur un côté. Épépiner avec une cuillère à café. Faire blanchir très rapidement à l'eau bouillante.
Éplucher et couper les oignons nouveaux en petits morceaux. Couper le jambon de Parme en lanières. Mélanger le tout avec le fromage frais, l'eau-de-vie, le parmesan et le poivre en grains. Saler, poivrer, ajouter le thym et l'aneth. Répartir le mélange sur les concombres.
Faire chauffer le beurre ou la margarine dans un plat qui va au four. Faire revenir l'oignon finement haché.
Ajouter les champignons épluchés et coupés en rondelles. Couvrir avec le vin blanc et le jus de viande.
Ajouter les condiments à la sauce. Mettre les concombres. Laisser cuire 10-15 mn dans le four préchauffé à 200°C. Saupoudrer de ciboulette.

51

Hachis relevé

Préparation: 25 mn

Pour 2 personnes, il faut:

1 cuillerée à soupe d'huile
50 g de lard maigre fumé
200 g de bœuf haché
½ cuillerée à café de sel
1 gousse d'ail
1 petit oignon
100 g de petits pois et de carottes
(surgelés)
1 cuillerée à soupe de sauce
tomate
¼ l de bouillon cube
1 pointe de sarriette
1 pointe de marjolaine
1 pincée de noix de muscade
râpée
1 petite boîte de haricots blancs
sel
poivre frais moulu
1 cuillerée à soupe de vinaigre de
fruits
1 pincée de sucre
quelques brins de ciboulette

Comment procéder:

Faire chauffer l'huile dans une casserole. Faire revenir le lard coupé en petits dés.
Ajouter le bœuf haché. Bien faire revenir.
Ajouter la gousse d'ail broyée avec le sel, l'oignon finement haché et les légumes. Laisser cuire 5 mn.
Ajouter la sauce tomate et verser le bouillon cube.
Ajouter la sarriette, la marjolaine et la muscade. Incorporer les haricots. Saler, poivrer, ajouter le vinaigre et le sucre.
Couvrir et laisser cuire 5 mn à feu moyen. Incorporer la ciboulette.

Soufflé de légumes gratiné

Préparation: 25 mn

Pour 2 personnes, il faut:

2 cuillerées à soupe de beurre ou
de margarine
1 oignon
1 pomme de terre cuite
2 paires de saucisses fumées
1 petit concombre
2 tomates
1 tasse de bouillon de légumes
100 g de crème fraîche
2 œufs
sel
poivre frais moulu
1 pincée de noix de muscade
râpée
50 g d'emmental râpé
quelques brins de ciboulette
quelques branches de persil

Comment procéder:

Faire chauffer 1 cuillerée à soupe
de beurre ou de margarine dans
une poêle. Faire revenir l'oignon
coupé en rondelles.
Couper la pomme de terre en fines rondelles. Faire revenir rapidement dans 1 cuillerée à soupe
de beurre.
Couper les saucisses, le concombre et les tomates en rondelles.
Placer tous les ingrédients dans
un moule à soufflé. Couvrir avec
le bouillon de légumes.

Battre la crème fraîche et les
œufs. Ajouter le sel, le poivre et
la muscade. Verser dans le
moule.
Saupoudrer d'emmental et faire
gratiner 10-15 mn dans le four
préchauffé à 180°C.
Saupoudrer de ciboulette finement coupée et de persil finement haché.

Côtelette de porc charcutière

Préparation: 20 mn

Pour 1 personne, il faut:

1 côtelette de porc
sel
poivre frais moulu
1 cuillerée à soupe de moutarde
douce
1 pointe de marjolaine
1 cuillerée à soupe d'huile

Pour la sauce:

1 tranche de jambon
1 tranche de salami
½ poivron rouge
½ poivron vert
1 petite boîte de champignons de
Paris
2 cuillerées à soupe de bière
1 tasse de jus de viande
1 cuillerée à café de miel
2 cuillerées à café de vinaigre de
fruits
1 pointe de paprika en poudre
quelques gouttes de tabasco
1 cuillerée à café de poivre vert en
grains

Comment procéder:

Saler et poivrer la côtelette.
Mélanger la moutarde et la marjolaine. Enduire la viande du mélange en couche régulière.
Faire chauffer l'huile dans une
poêle. Faire revenir la viande des
deux côtés. Retirer du feu et tenir au chaud.
Mettre le jambon, le salami et
les poivrons coupés en lanières
dans le reste d'huile. Faire revenir brièvement.
Ajouter les champignons bien
égouttés. Couvrir avec la bière et
le jus de viande.
Ajouter le miel, le vinaigre, le
paprika et le tabasco. Saler, poivrer. Incorporer le poivre en
grains.
Dresser la côtelette sur un plat
et napper de sauce.

Côtelette de porc marinière

Préparation: 20 mn

Pour 1 personne, il faut:

1 côtelette de porc
sel
poivre frais moulu
1 pincée de poivre de Cayenne
un peu de farine
1 œuf
1 cuillerée à café de zeste de citron râpé
1 tasse de chapelure
1 cuillerée à soupe d'huile

Pour la sauce:

1 cuillerée à café de beurre ou de margarine
50 g de lard maigre fumé
1 oignon
1 petite boîte de moules décortiquées
½ tasse de vin blanc
½ tasse de crème fraîche
quelques gouttes de citron
quelques gouttes de sauce Worcester

1 pincée de sucre
1 pointe de safran
2 cuillerées à soupe de fines herbes fraîches hachées

Comment procéder:

Aplatir légèrement la côtelette; saler, poivrer, l'enduire d'un peu de poivre de Cayenne.
Rouler la côtelette dans la farine, puis dans l'œuf battu et dans la chapelure parfumée de citron.
Faire chauffer l'huile dans une poêle. Faire revenir la viande des deux côtés.
Faire chauffer le beurre ou la margarine dans une petite poêle. Faire revenir le lard coupé en lanières.
Ajouter l'oignon finement haché. Faire revenir.
Ajouter les moules bien égouttées; délayer avec le vin blanc et verser la crème fraîche.
Ajouter le jus de citron, la sauce Worcester, le sucre, le safran, le sel et le poivre. Laisser mijoter 5 mn. Incorporer les fines herbes.
Dresser la côtelette sur un plat et napper de sauce.

Émincé de foie de veau à la sauce aux pommes

Préparation: 20 mn

Pour 1 personne, il faut:

1 cuillerée à soupe de beurre
1 oignon
2 oignons nouveaux
1 petite pomme acide
1 cuillerée à café de poivre vert en grains
1 pointe de thym
2 cuillerées à soupe de vin blanc
1 tasse de jus de viande
2 cuillerées à soupe de crème fraîche
sel
poivre blanc frais moulu
2 cl de cidre
150 g de foie de veau
1 cuillerée à soupe de beurre

Comment procéder:

Faire chauffer le beurre. Faire revenir l'oignon finement haché ainsi que les oignons nouveaux épluchés et coupés en lanières. Ajouter la pomme pelée, épépinée et coupée en rondelles. Laisser cuire brièvement.

Ajouter le poivre en grains et le thym; délayer avec le vin blanc et couvrir avec le jus de viande. Incorporer la crème fraîche; saler et poivrer. Aromatiser avec le cidre.

Laisser cuire 5 mn à feu moyen. Pendant ce temps, couper le foie de veau en fines lanières; faire revenir dans le beurre, saler, poivrer. Napper avec la sauce.

Émincé de rognons doux-amer

Préparation: 25 mn

Pour 1 personne, il faut:

150 g de rognons de porc ou de veau
1 cuillerée à soupe de beurre ou de margarine
sel
poivre blanc frais moulu
1 petit oignon
50 g de champignons de Paris frais
1 cuillerée à café de farine
½ tasse de vin blanc
½ tasse de crème
1 pincée de condiments
1 pointe de poivre de Cayenne
quelques brins de ciboulette
1 tomate
1 cuillerée à soupe d'eau-de-vie

Comment procéder:

Couper les rognons en tranches minces. Faire revenir dans le beurre ou la margarine. Ôter du feu, saler, poivrer et tenir au chaud.

Faire revenir l'oignon finement haché dans le reste de beurre. Ajouter les champignons épluchés, lavés et coupés en rondelles. Laisser cuire brièvement et saupoudrer de farine.

Délayer avec le vin blanc et la crème. Porter la sauce à ébullition.

Ajouter les condiments, le poivre de Cayenne, le sel et le poivre.

Incorporer la ciboulette finement coupée.

Ajouter les rognons; porter rapidement à ébullition. Ajouter la tomate pelée, épépinée et coupée en dés.

Vérifier l'assaisonnement. Ajouter l'eau-de-vie.

Sole gratinée aux girolles

Préparation: 20 mn

Pour 1 personne, il faut:

*1 sole prête à l'emploi
sel
poivre frais moulu
jus d'1 citron
quelques gouttes de sauce Worcester
un peu de farine
2 cuillerées à soupe d'huile
2 cuillerées à soupe de beurre ou de margarine
1 mince tranche de lard maigre fumé
2 oignons nouveaux
100 g de girolles fraîches
1 pincée de noix de muscade râpée
4 cl de vin blanc
50 g de mozarella
1 cuillerée à soupe de persil haché*

Comment procéder:

Laver la sole sous l'eau froide; bien essuyer, saler, poivrer, enduire de jus de citron et de sauce Worcester et laisser mariner.
Rouler le poisson dans la farine; faire revenir dans l'huile. Ôter du feu et tenir au chaud.
Faire chauffer le beurre ou la margarine dans une petite poêle. Faire revenir le lard coupé en dés.
Ajouter les oignons nouveaux épluchés et coupés en petits morceaux ainsi que les girolles. Faire cuire brièvement. Ajouter le sel, le poivre et la muscade. Délayer avec le vin blanc et laisser mijoter 2-3 mn.
Placer la sole dans un plat qui va au four. Couvrir de girolles et de mozarella coupée en dés.
Mettre au four ou sous le gril pour faire gratiner. Saupoudrer de persil et servir.

Steak de flétan à la tomate

Préparation: 20 mn

Pour 1 personne, il faut:

*1 steak de flétan (de 180 g)
sel
poivre frais moulu
jus d'1 citron
un peu de farine
2 cuillerées à soupe d'huile
1 tomate
100 g de champignons de Paris (en boîte)
1 tranche de jambon cuit
1 tranche de gouda jeune
1 cuillerée à soupe de ciboulette fraîche*

Comment procéder:

Laver le flétan sous l'eau froide; essuyer, saler, poivrer et imbiber du jus de citron.
Rouler le poisson dans la farine. Faire revenir à la poêle dans un peu de matière grasse. Ôter du feu et placer dans un plat qui va au four.
Dresser la tomate pelée et coupée en rondelles sur le poisson. Saler et poivrer.
Dresser les champignons bien égouttés et le jambon coupé en lanières sur les rondelles de tomate.
Disposer le fromage par-dessus. Mettre au four ou sous le gril jusqu'à ce que le fromage soit fondu.
Saupoudrer de ciboulette et servir.

Cuisses de poulet viennoise à la sauce au lard

Préparation: 25 mn

Pour 2 personnes, il faut:

2 cuisses de poulet
sel
poivre frais moulu
½ tasse de farine
1 œuf
½ tasse de chapelure
1 cuillerée à soupe de zeste de citron râpé
1 cuillerée à soupe de citronnelle hachée
de la matière grasse pour la friture

Pour la sauce:

1 cuillerée à soupe de beurre ou de margarine
50 g de lard maigre fumé

1 petit oignon
1 doigt de vin rouge
1½ tasse de jus de viande
1 pointe de thym
1 pincée de sucre

Comment procéder:

Laver les cuisses de poulet prêtes à l'emploi sous l'eau froide; essuyer, saler et poivrer.
Rouler les cuisses de poulet dans la farine, puis dans l'œuf battu.

Mélanger la chapelure, le zeste de citron et le jus de citron. Paner les cuisses de poulet dans le mélange.
Faire frire environ 10 mn dans de l'huile chaude.
Pendant ce temps, faire chauffer le beurre ou la margarine dans une poêle. Faire revenir le lard coupé en fines lanières.
Ajouter l'oignon finement haché. Faire revenir.
Délayer avec le vin rouge et couvrir avec le jus de viande. Ajouter le thym, le sucre, le sel et le poivre.
Dresser les cuisses de poulet sur un plat et napper de sauce.

Escalopes de dinde aux fruits

Préparation: 20 mn

Pour 2 personnes, il faut:

2 escalopes de dinde
sel
poivre frais moulu
½ cuillerée à café de paprika en poudre
½ cuillerée à café de cari
2 cuillerées à soupe d'huile

Pour la sauce:

1 cuillerée à soupe de beurre ou de margarine
2 oignons nouveaux
1 petite boîte de germes de haricots de soja
1 petite boîte de macédoine de fruits
2 cuillerées à soupe de vinaigre de fruits
2 cuillerées à soupe de sauce de soja
1 cuillerée à soupe de sauce tomate
1½ tasse de jus de viande
2 cl de vin blanc
1 cuillerée à café de glutamate

Comment procéder:

Saler, poivrer et enduire généreusement de paprika et de cari les escalopes de dinde. Faire revenir dans l'huile. Ôter du feu et tenir au chaud.
Mettre le beurre ou la margarine dans le reste d'huile. Faire revenir les oignons nouveaux coupés en petites lanières.
Ajouter les germes de haricots de soja bien égouttés et la macédoine de fruits. Faire cuire brièvement.
Ajouter le vinaigre, la sauce de soja et la sauce tomate; couvrir avec le jus de viande et parfumer avec le vin blanc.
Ajouter le glutamate, saler, poivrer. Dresser les escalopes sur un plat et napper de sauce.

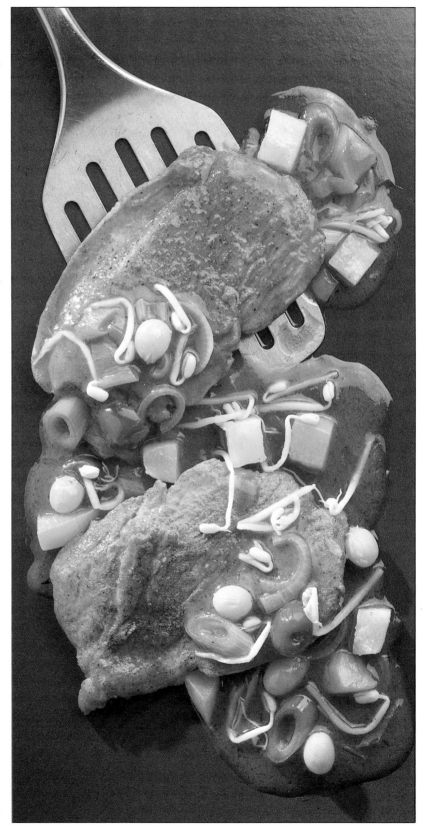

Plats poêlés minute

Toute cuisine, même minuscule, possède une poêle. Ce chapitre vous montrera qu'on peut cuisiner, outre les steaks et les œufs, des plats dignes de ce nom dans une poêle. Ces recettes, à coup sûr, vous plairont par la qualité des ingrédients et le choix des assaisonnements.

Délices poêlées à la tyrolienne

Préparation: 15 mn

Pour 1 personne, il faut:

1 cuillerée à soupe de beurre ou de margarine
40 g de lard maigre fumé
1 petit oignon
1 pomme de terre cuite
1 tranche de rôti froid
1 tranche de jambon cuit
1 petite saucisse de Vienne
1 petite boîte de macédoine de légumes
sel
poivre frais moulu
1 pointe de marjolaine
1 pointe de thym
1 œuf
quelques brins de ciboulette

Comment procéder:

Faire chauffer le beurre ou la margarine dans une poêle. Faire revenir le lard coupé en petits dés.
Ajouter l'oignon finement haché. Faire revenir.
Ajouter la pomme de terre pelée et coupée en rondelles. Faire revenir rapidement.
Ajouter le rôti froid coupé en tranches, le jambon coupé en lanières ainsi que la saucisse coupée en rondelles.
Bien égoutter la macédoine de légumes. Mettre dans la poêle. Saler, poivrer. Parfumer de marjolaine et de thym.
Battre l'œuf, saler, poivrer. Faire cuire dans une poêle.
Disposer l'œuf cuit sur les divers ingrédients. Saupoudrer de ciboulette et servir.

Riz exotique

Préparation: 15 mn

Pour 1 personne, il faut:

1 cuillerée à soupe d'huile d'olive
100 g de porc maigre
2 oignons nouveaux
1 poivron rouge
1 tranche d'ananas
1 petite boîte de crevettes grises ou roses
4 cuillerées à soupe de ketchup
1 cuillerée à soupe de miel
2 cuillerées à soupe de vinaigre de fruits
1 tasse de jus de viande
sel
poivre frais moulu
½ cuillerée à café de condiments chinois
1 pointe de glutamate
quelques gouttes de tabasco
100 g de riz cuit
½ bouquet de ciboulette

Comment procéder:

Bien faire chauffer l'huile d'olive dans une poêle. Faire revenir le porc coupé en minces lanières. Ôter du feu et tenir au chaud.
Couper les oignons nouveaux épluchés et le poivron en minces lanières; les mettre dans le reste de matière grasse et faire revenir.
Ajouter l'ananas coupé en petits dés et les crevettes bien égouttées, le ketchup, le miel et le vinaigre. Couvrir avec le jus de viande.
Assaisonner la sauce, ajouter le porc. Couvrir et laisser mijoter 5 mn à feu moyen.
Ajouter le riz, faire cuire l'ensemble; vérifier l'assaisonnement. Saupoudrer de ciboulette et servir.

Oignons à la munichoise

Préparation: 15 mn

Pour 1 personne, il faut:

150 g de filet de bœuf cuit
2 oignons
2 cuillerées à soupe de beurre ou de margarine
1 petite boîte de carottes coupées
2 œufs
sel
poivre frais moulu
1 pointe de cumin
1 pincée de noix de muscade râpée
½ bouquet de ciboulette

Comment procéder:

Couper le bœuf en petits morceaux, les oignons en lanières.
Faire chauffer le beurre ou la margarine dans une poêle; ajouter le bœuf, faire revenir, ajouter les oignons.
Ajouter les carottes bien égouttées.
Battre les œufs, saler, poivrer, ajouter le cumin et la muscade.
Faire cuire dans une poêle en remuant.
Dresser l'ensemble dans un plat. Saupoudrer de ciboulette et servir.

Pâtes à la milanaise

Préparation: 15 mn

Pour 1 personne, il faut:

1 cuillerée à soupe de beurre ou de margarine
50 g de lard maigre fumé
1 petit oignon
1 tranche de mortadelle
1 tranche de salami
½ cuillerée à café de sel
1 gousse d'ail
100 g de pâtes aux œufs cuites
2 tomates
½ cuillerée à café de basilic
sel
poivre frais moulu
2 cuillerées à soupe de parmesan râpé

Comment procéder:

Faire chauffer le beurre ou la margarine dans une poêle; faire revenir le lard coupé en petits dés.
Ajouter l'oignon finement haché. Faire revenir.
Couper la mortadelle et le salami en lanières; ajouter au lard avec la gousse d'ail broyée avec le sel. Laisser cuire brièvement.
Ajouter les pâtes et les tomates coupées en dés.
Ajouter le basilic, le sel et le poivre. Laisser mijoter 5 mn à feu moyen. Saupoudrer de parmesan et servir.

NOTRE CONSEIL

Toutes ces recettes peuvent fort bien se confectionner sur un réchaud à fondue. Préparez tous les ingrédients et faites cuire les plats directement à table.

Ragoût à la lyonnaise

Préparation: 20 mn

Pour 2 personnes, il faut:

*300 g de saucisson de Lyon
1 cuillerée à soupe de beurre ou de margarine
1 petit oignon
1 poivron rouge
1 poivron vert
1 petite boîte de maïs
1 petite boîte de champignons de Paris
1 cuillerée à soupe de sauce tomate
1 cuillerée à soupe de farine
1 tasse de vin rouge
¼ l de bouillon de viande
1 cuillerée à café de marjolaine
1 pointe de poivre de Cayenne
sel
poivre frais moulu
1 pincée de sucre
½ cuillerée à café de cari
½ cuillerée à café de paprika en poudre
100 g de crème fraîche
quelques brins de ciboulette*

Comment procéder:

Couper le saucisson en rondelles fines. Faire revenir dans le beurre ou la margarine.
Ajouter l'oignon coupé en rondelles ainsi que le poivron coupé en lanières. Faire cuire brièvement.
Ajouter le maïs et les champignons bien égouttés.
Verser la sauce tomate; saupoudrer de farine. Délayer avec le vin rouge et couvrir avec le bouillon de viande.
Assaisonner de marjolaine, de poivre de Cayenne, saler, poivrer, ajouter le sucre, le cari et le paprika.
Couvrir et laisser mijoter 5-10 mn à feu moyen.
Ôter du feu. Incorporer la crème. Vérifier l'assaisonnement. Saupoudrer de ciboulette et servir.

Émincé d'asperges helvétique

Préparation: 20 mn

Pour 2 personnes, il faut:

*300 g de filet de veau
1 cuillerée à soupe d'huile
sel
poivre frais moulu
1 petit oignon
100 g de champignons de Paris frais
4 asperges fraîches
2 cl de vin blanc
jus d'½ orange
200 g de crème sucrée
1 cuillerée à soupe de farine
quelques gouttes de sauce Worcester
1 pincée de condiments
quelques gouttes de liqueur d'orange
quelques branches de menthe poivrée*

Comment procéder:

Couper le veau en lanières; faire revenir brièvement dans l'huile. Ôter du feu; saler, poivrer et tenir au chaud.
Faire revenir l'oignon finement haché dans le reste d'huile.
Éplucher les champignons, peler les asperges. Couper champignons et asperges en morceaux. Ajouter les légumes à l'oignon et laisser cuire brièvement.
Délayer avec 1 doigt de vin blanc. Aromatiser avec le jus d'orange.
Mélanger la crème et la farine, ajouter aux légumes et faire cuire.
Assaisonner de sauce Worcester, de condiments, de sel et de poivre. Laisser cuire 10-15 mn.
Ajouter la viande aux légumes. Aromatiser de liqueur d'orange; garnir de menthe et servir.

Steak du bûcheron

Préparation: 20 mn

Pour 1 personne, il faut:

1 steak de porc dans l'échine
½ cuillerée à café de grains de poivre concassés
1 gousse d'ail
½ cuillerée à café de sel
1 cuillerée à café de marjolaine
1 pointe de thym
1 cuillerée à café de zeste de citron râpé
3 cuillerées à soupe d'huile d'olive

Pour les légumes:

50 g de lard maigre fumé
1 oignon
1 petit poireau
1 petite tranche d'emmental
quelques brins de ciboulette

Comment procéder:

Enduire généreusement la viande de poivre.
Broyer la gousse d'ail avec le sel; mélanger avec la marjolaine, le thym, le zeste de citron et l'huile d'olive.
Enduire la viande de ce mélange; faire revenir dans une poêle des deux côtés. Retirer du feu et tenir au chaud.

Faire revenir le lard coupé en petits dés dans le reste de matière grasse.
Hacher l'oignon grossièrement. Éplucher, laver et couper le poireau en morceaux de 5 cm. Ajouter au lard. Couvrir et laisser cuire quelques minutes à feu moyen.
Saler et poivrer les légumes.
Dresser avec la viande et garnir de fromage.
Faire gratiner au gril. Saupoudrer de ciboulette et servir.

SAUCE DE LA MER DU NORD

100 g de crevettes décortiquées
1 cuillerée à soupe de beurre
quelques gouttes de citron
2 cl de vin blanc
sel, poivre
1 œuf
1 cuillerée à café d'huile
2 cuillerées à soupe d'aneth frais

Faire revenir brièvement les crevettes dans le beurre; délayer avec le jus de citron et le vin blanc. Saler, poivrer et dresser dans un plat avec la viande. Faire cuire un œuf au plat; disposer l'œuf sur la viande. Saupoudrer d'aneth.

LÉGUMES A LA PROVENÇALE

1 cuillerée à soupe de beurre d'estragon
100 g de légumes mélangés (surgelés)
sel, poivre
1 cuillerée à café d'herbes de Provence
2 cl de vin blanc
4 cuillerées à soupe de crème fraîche
1 pincée de condiments
1 pointe d'ail en poudre
2 cuillerées à soupe de fines herbes hachées

Faire chauffer le beurre d'estragon dans une poêle; faire revenir les légumes. Saler, poivrer, ajouter les herbes de Provence. Délayer avec le vin blanc et incorporer la crème fraîche. Couvrir et laisser mijoter 5-10 mn à feu moyen. Ajouter les condiments et l'ail en poudre. Dresser la viande et les légumes dans un plat.

COCKTAIL DE CHAMPIGNONS

1 cuillerée à soupe de beurre
1 oignon
1 petite boîte de champignons mélangés
2 cl de vin blanc
sel, poivre
½ cuillerée à café de thym
1 tomate
80 g de mozarella

Faire chauffer le beurre dans une poêle; faire revenir l'oignon finement haché. Ajouter les champignons égouttés et coupés en petits morceaux. Laisser cuire brièvement. Délayer avec le vin blanc. Saler, poivrer, ajouter le thym. Porter à ébullition. Ajouter la tomate pelée, épépinée et coupée en petits dés. Ajouter le fromage et faire gratiner au gril la viande et les légumes.

Côtelette de porc aux légumes

Préparation: 20 mn

Pour 1 personne, il faut:

1 côtelette de porc
sel
poivre frais moulu
1 pointe de paprika en poudre
1 cuillerée à café de marjolaine
1 cuillerée à soupe d'huile
1 petit oignon
100 g de petits pois et de carottes
(surgelés)
4 cl de mousseux ou de champagne
100 g de crème fraîche
1 pincée de noix de muscade râpée
1 pincée de condiments
quelques gouttes de sauce Worcester
quelques gouttes de jus de citron
quelques branches de cerfeuil

Comment procéder:

Saler et poivrer la viande; l'enduire généreusement de paprika et de marjolaine. Faire revenir dans l'huile des deux côtés. Ôter du feu et tenir au chaud.
Faire revenir l'oignon finement haché dans le reste d'huile. Ajouter les petits pois et les carottes. Délayer avec le mousseux ou le champagne. Couvrir et laisser cuire 5 mn à feu moyen.

Incorporer la crème fraîche. Saler, poivrer; ajouter la muscade et les condiments.
Ajouter la sauce Worcester et le citron. Napper la côtelette de sauce.
Laver et essuyer le cerfeuil. Saupoudrer la viande de feuilles et servir.

Médaillons de porc à la tomate

Préparation: 15 mn

Pour 1 personne, il faut:

2 médaillons de porc (de 80 g chacun)
sel, poivre frais moulu
1 pointe de cumin en poudre
1 pincée de poivre de Cayenne
1 cuillerée à soupe d'huile
1 petit oignon
1 cuillerée à soupe de raisins secs
1 cuillerée à soupe de pistaches
2 tomates
4 cl de vin blanc
1 pincée d'ail en poudre
1 pointe de basilic
1 pointe d'origan
1 pincée de sucre
2 cuillerées à café de crème fraîche
quelques branches de basilic

Comment procéder:

Saler et poivrer les médaillons prêts à l'emploi. Enduire généreusement de cumin et de poivre de Cayenne. Faire revenir dans l'huile des deux côtés. Ôter du feu et tenir au chaud. Faire revenir l'oignon finement haché dans le reste d'huile.

Ajouter les raisins secs et les pistaches. Laisser cuire brièvement. Ajouter les tomates pelées, épépinées et coupées en petits dés. Délayer avec le vin blanc et porter rapidement à ébullition. Bien relever la sauce; incorporer la crème. Dresser avec la viande. Saupoudrer de basilic et servir.

Ragoût de pâté de foie

Préparation: 15 mn

Pour 2 personnes, il faut:

200 g de pâté de foie
2 cuillerées à soupe de beurre ou de margarine
1 oignon
1 poivron rouge
1 petit bocal de betteraves rouges en salade
1 petite boîte de champignons mélangés
¼ l de jus de viande
sel
poivre frais moulu
1 pincée de cumin
1 cuillerée à café de marjolaine
1 pincée de sucre
quelques gouttes de vinaigre
3 cuillerées à soupe de crème fraîche
quelques brins de ciboulette

Comment procéder:

Couper le pâté de foie en morceaux de la taille d'une bouchée. Faire chauffer le beurre ou la margarine dans une poêle. Couper l'oignon et le poivron en lanières. Faire revenir.
Ajouter le pâté de foie aux légumes.
Bien faire égoutter les betteraves rouges et les champignons, les couper en petits morceaux, le cas échéant. Ajouter au pâté de foie et faire cuire brièvement.
Couvrir avec le jus de viande. Saler, poivrer; ajouter le cumin, la marjolaine, le sucre et le vinaigre.
Incorporer la crème. Saupoudrer de ciboulette et servir.

Lièvre sauté minute

Préparation: 20 mn

Pour 2 personnes, il faut:

300 g de filet de lièvre
1 cuillerée à café de marjolaine
1 cuillerée à café de zeste de citron râpé
1 cuillerée à café de poivre vert en grains
1 cuillerée à soupe de miel
2-3 cuillerées à soupe d'huile d'olive
sel
poivre frais moulu
1 oignon
1 petite boîte de champignons mélangés
1 tasse de vin rouge
1 tasse de jus de viande
50 g de roquefort
quelques gouttes de kirsch

Comment procéder:

Couper le lièvre en tranches fines. Mélanger la marjolaine, le zeste de citron, les grains de poivre broyés et le miel. Ajouter à la viande.
Faire chauffer l'huile d'olive dans une poêle. Faire revenir le lièvre rapidement. Retirer du feu. Saler, poivrer et tenir au chaud.
Faire revenir l'oignon finement haché dans le reste d'huile d'olive.
Bien faire égoutter les champignons; ajouter à l'oignon, faire chauffer rapidement; délayer avec le vin rouge et couvrir avec le jus de viande.
Saler et poivrer la sauce. Couper le fromage en petits morceaux. Incorporer à la sauce.
Mettre le lièvre dans la sauce. Vérifier l'assaisonnement et aromatiser de kirsch.

Cari de poulet

Préparation: 25 mm

Pour 2 personnes, il faut:

300 g de filets de poulet
sel
poivre frais moulu
1 cuillerée à café de thym
2 cuillerées à soupe d'huile d'olive
1 petit oignon
2 oignons nouveaux
1 petite pomme acide
1 banane
½ tasse de cerises
½ cuillerée à soupe de farine
1 tasse de bouillon de poule
100 g de crème sucrée
1 cuillerée à soupe de cari
1 cuillerée à soupe de sauce de soja
2 cuillerées à soupe de vinaigre de fruits
1 cuillerée à soupe de miel
quelques brins de ciboulette

Comment procéder:

Couper les filets en morceaux de la taille d'une bouchée. Saler, poivrer, enduire généreusement de thym.
Faire chauffer l'huile d'olive dans une poêle. Faire revenir le poulet rapidement. Ajouter et faire revenir l'oignon finement haché.
Éplucher et couper les oignons nouveaux en lanières; peler, épépiner et couper la pomme en petites rondelles. Éplucher et couper la banane en rondelles. Mettre les oignons nouveaux et les fruits dans la poêle. Faire revenir brièvement.
Saupoudrer de farine; délayer avec le bouillon de poule et incorporer la crème.
Laisser mijoter 10 mn à feu moyen.
Ajouter le cari, la sauce de soja, le vinaigre, le miel, le sel et le poivre.
Saupoudrer de ciboulette coupée.

Boulettes poivrées à la bière

Préparation: 25 mn

Pour 2 personnes, il faut:

300 g de viande hachée
1 petit oignon
½ petit pain
1 œuf
1 cuillerée à soupe de poivre vert en grains
1 cuillerée à soupe de moutarde
1 cuillerée à soupe de raifort
sel
poivre frais moulu
1 pincée de poivre de Cayenne
3 cuillerées à soupe d'huile

Pour la sauce:

1 petit oignon
1 petite boîte de champignons mélangés
4 cl de bière
1½ tasse de jus de viande
1 pointe de cumin en poudre
1 pointe de marjolaine
1 cuillerée à soupe de sirop de betteraves
2 cuillerées à soupe de vinaigre de fruits
quelques brins de ciboulette

Comment procéder:

Mettre dans un plat la viande hachée, l'oignon émincé, le petit pain (mis à tremper à l'eau froide) et l'œuf.
Ajouter le poivre en grains, la moutarde et le raifort. Travailler le tout jusqu'à obtention d'une masse compacte.

Saler, poivrer, ajouter le poivre de Cayenne. Former des petites boulettes et les faire dorer dans l'huile. Retirer du feu et tenir au chaud.
Faire revenir l'oignon finement haché dans le reste d'huile. Ajouter les champignons bien égouttés. Délayer avec la bière et couvrir avec le jus de viande. Ajouter le cumin, la marjolaine, le sirop de betteraves, le vinaigre, le sel et le poivre. Ajouter la ciboulette hachée.
Dresser les boulettes dans un plat. Napper de sauce et servir.

Suprême de poulet au poivre vert

Préparation: 20 mn

Pour 2 personnes, il faut:

3 filets de poulet
2 cuillerées à soupe d'huile
1 cuillerée à soupe de beurre
d'estragon, 1 oignon
1 cuillerée à café de poivre vert en
grains, sel, poivre
1 cuillerée à soupe de miel
jus d'½ citron, 2 citrons
100 ml de mousseux
1 tasse de jus de viande
quelques branches de citronnelle

1 pincée de condiments
1 cuillerée à café de maïzena

Comment procéder:
Saler, poivrer et faire revenir le poulet à la poêle dans un peu d'huile. Ôter du feu et tenir au chaud. Mettre le beurre d'estragon dans la poêle. Faire revenir l'oignon émincé.
Ajouter le poivre en grains, le miel et le jus de citron. Porter à ébullition.
Peler les citrons. les couper en quartiers. Mettre les quartiers dans la sauce. Mouiller de mousseux et couvrir avec le jus de viande.
Incorporer la citronnelle finement hachée; saler, poivrer, ajouter les condiments. Lier la sauce avec la maïzena délayée à l'eau froide.
Dresser les filets de poulet dans un plat avec la sauce.

Morceaux choisis pour un régal minceur

Ce chapitre est destiné à tous ceux qui veulent rester minces . . . ou le devenir. Les recettes qui y figurent vous prouveront que point n'est besoin, pour ce faire, de se priver de repas succulents. Les minces, eux aussi, ont bien le droit de faire ripaille!

Hachis minceur

Préparation: 25 mn

Pour 1 personne, il faut:

1 cuillerée à café de beurre ou de margarine
60 g de bifteck haché
½ cuillerée à café de sel
1 gousse d'ail
½ oignon (petit)
½ poivron rouge
½ poivron vert
1 petite courgette
1 tomate

⅛ l de bouillon de viande
1 pointe d'origan
1 pointe de basilic
sel
poivre frais moulu
70 g de pâtes cuites (moules)
(3 cuillerées à soupe de pâtes non cuites)
1 pincée de noix de muscade râpée
quelques brins de ciboulette

Comment procéder:

Faire chauffer le beurre ou la margarine dans une casserole. Faire revenir la viande hachée. Ajouter la gousse d'ail broyée avec le sel, l'oignon émincé, les poivrons lavés et coupés en fines lanières, la courgette lavée et coupée en rondelles et la tomate pelée et coupée en dés.
Verser le bouillon de viande. Relever d'origan et de basilic, saler et poivrer. Laisser mijoter 10 mn à feu moyen.
Ajouter les pâtes. Porter à ébullition. Saler, poivrer, ajouter la muscade. Saupoudrer de ciboulette hachée.

Paëlla aux pâtes

Préparation: 25 mn

Pour 1 personne, il faut:

*1 cuillerée à café de beurre ou de margarine
½ cuillerée à café de sel
1 gousse d'ail
½ oignon
100 g de calmar, de crevettes et de moules
½ boîte de maïs (petite)
½ boîte de petits pois et de carottes (petite)
1 tomate
50 g de pâtes aux œufs cuites
(2 cuillerées à soupe de pâtes non cuites)
sel
poivre frais moulu
quelques gouttes de citron
quelques gouttes de sauce Worcester
30 g d'emmental râpé
quelques branches de menthe poivrée
1 pincée de condiments
4 cl de vin blanc*

Comment procéder:

Faire fondre le beurre ou la margarine dans une poêle; faire revenir la gousse d'ail broyée avec le sel.
Ajouter l'oignon émincé.
Bien faire égoutter le calmar, les crevettes et les moules, les petits pois et les carottes. Ajouter le tout à l'oignon et faire cuire brièvement.

Peler, épépiner et couper la tomate en dés. Ajouter dans la poêle ainsi que les pâtes.
Ajouter le sel, le poivre, le citron, la sauce Worcester, le vin blanc et les condiments. Incorporer la menthe finement hachée.
Saupoudrer d'emmental et laisser cuire 5-10 mn au four préchauffé à 200°C.

Potage
d'asperges
au cresson

Préparation: 25 mn

Pour 1 personne, il faut:

1 cuillerée à soupe de beurre ou de margarine
100 g d'asperges fraîches
½ oignon
½ tasse de vin blanc
⅛ l de bouillon de viande
½ tasse de crème
1 cuillerée à soupe de farine
sel
poivre frais moulu
quelques gouttes de citron
quelques gouttes de sauce Worcester
1 pincée de sucre
½ botte de cresson

Comment procéder:

Faire chauffer le beurre ou la margarine dans une poêle. Faire revenir les asperges épluchées et coupées en morceaux.
Ajouter l'oignon émincé. Laisser cuire brièvement.

Délayer avec le vin blanc. Couvrir avec le bouillon de viande.
Couvrir et laisser mijoter 10 mn à feu moyen.
Mélanger la crème et la farine; ajouter le mélange au potage et laisser cuire 5 mn à feu doux.
Saler, poivrer; ajouter le citron, la sauce Worcester et le sucre.
Ajouter le cresson lavé et grossièrement haché.

Soupe de poireaux minute

Préparation: 20 mn

Pour 1 personne, il faut:

1 cuillerée à soupe de beurre ou de margarine
1 petit poireau
1 pomme de terre
1 tasse de vin blanc
⅛ l de bouillon de viande
1 pointe de noix de muscade râpée
sel
poivre frais moulu
2 cuillerées à soupe de crème fraîche
1 jaune d'œuf
1 pincée de poivre de Cayenne
1 pincée de sucre

Comment procéder:

Faire chauffer le beurre ou la margarine dans une casserole. Faire revenir le poireau épluché et coupé en petits morceaux. Éplucher et couper la pomme de terre en petits dés. Ajouter au poireau et faire cuire rapidement.
Délayer avec le vin blanc. Couvrir avec le bouillon de viande. Couvrir et laisser cuire 10 mn à feu moyen. Ôter et réserver quelques morceaux de légumes pour la garniture.
Mixer le potage. Remettre à chauffer. Assaisonner de muscade, de sel et de poivre.
Battre la crème fraîche avec le jaune d'œuf. Incorporer au potage.
Retirer du feu. Ajouter le poivre de Cayenne et le sucre. Garnir avec les morceaux de légumes.

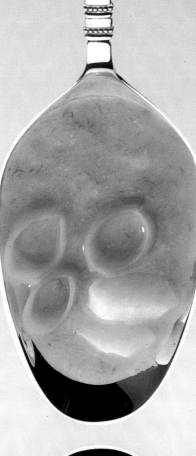

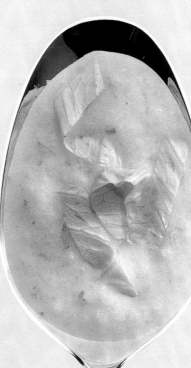

Soupe à la laitue

Préparation: 15 mn

Pour 2 personnes, il faut:

1 cuillerée à café de beurre ou de margarine
1 petit oignon
100 g de pommes de terre
1 tasse de jus d'orange
1 petite laitue
quelques brins de ciboulette
¼ l de bouillon de viande
1 pointe de thym
sel
poivre frais moulu
1 pincée de noix de muscade râpée
1 jaune d'œuf
1 cuillerée à soupe de crème fraîche

Comment procéder:

Faire chauffer le beurre ou la margarine dans une casserole. Faire revenir l'oignon émincé. Ajouter les pommes de terre épluchées et coupées en petits dés. Verser le jus d'orange. Couvrir et laisser cuire 5 mn à feu moyen.
Couper la salade épluchée et essorée en morceaux grossiers. Ajouter aux pommes de terre et faire cuire brièvement. Réserver quelques feuilles pour garnir. Incorporer la ciboulette finement hachée. Verser le bouillon de viande. Assaisonner de thym, de sel, de poivre et de muscade. Porter la soupe à ébullition. Mixer.
Battre le jaune d'œuf et la crème. Incorporer à la soupe. Faire chauffer sans bouillir. Garnir de quelques feuilles de salade.

Roulade de porc au paprika

Préparation: 40 mn

Pour 1 personne, il faut:

1 mince roulade de porc
sel
poivre frais moulu
1 cuillerée à café de moutarde
1 petite tranche fine de jambon cuit
100 g de choucroute
½ oignon (petit)
1 pointe de marjolaine
1 pointe de cumin
1 cuillerée à soupe d'huile

Pour la sauce au paprika:

½ oignon (petit)
½ poivron rouge
½ poivron vert
1 tasse de jus de viande
½ cuillerée à café de paprika doux
1 pointe de cari
un peu de sucre
quelques gouttes de sauce Worcester

Comment procéder:

Disposer la roulade sur une planche; saler, poivrer et enduire de moutarde.

Garnir avec la tranche de jambon et de la moitié de la choucroute.

Hacher finement l'oignon; ajouter sur la choucroute. Saler et poivrer de nouveau; saupoudrer de marjolaine et de cumin. Rouler.

Faire tenir avec un cure-dent ou lier avec de la ficelle de cuisine. Bien faire revenir dans une casserole avec un peu de matière grasse.

Ajouter l'oignon coupé en lanières, les poivrons lavés et coupés en lanières. Faire cuire brièvement.

Ajouter le reste de la choucroute. Couvrir avec le jus de viande. Assaisonner de paprika, de cari, de sucre et de sauce Worcester. Couvrir et laisser cuire 20-25 mn. Vérifier l'assaisonnement avant de servir.

SAUCE AUX LÉGUMES

½ oignon
1 carotte
1 petit poireau
⅛ l de jus de viande
1 cuillerée à soupe de vinaigre de fruits
1 pointe de cumin
1 pincée de sucre
1 pointe de marjolaine
1 pointe de thym

Éplucher, laver et couper en dés l'oignon, la carotte et le poireau. Ajouter à la roulade. Faire cuire brièvement et couvrir avec le jus de viande.

Ajouter le vinaigre et les aromates. Couvrir et faire cuire comme indiqué précédemment. Vérifier pour finir l'assaisonnement.

SAUCE PIQUANTE AUX OLIVES

½ oignon
1 oignon nouveau
50 g de champignons de Paris
1 cuillerée à soupe d'olives farcies
½ tasse de sangrita piquante
½ boîte de tomates pelées (petite)
1 pointe d'origan
1 pointe de basilic
quelques gouttes de tabasco
2 cuillerées à soupe de crème fraîche

Ajouter l'oignon émincé ainsi que les oignons nouveaux épluchés et coupés en lanières à la viande. Faire cuire quelques minutes. Couper les champignons épluchés et les olives en rondelles et mettre dans la casserole. Ajouter la sangrita et les tomates. Assaisonner généreusement d'aromates. Faire cuire comme indiqué précédemment. Vérifier l'assaisonnement et incorporer la crème.

Brochettes gourmandes

Préparation: 15 mn

Pour 1 personne, il faut:

4 crevettes grises
2 médaillons de veau (de 50 g chacun)
sel
poivre frais moulu
1 oignon
1 tomate
quelques champignons
2 cuillerées à soupe de sauce au chili
1 pointe de thym
1 pointe d'origan
1 pointe de basilic
1 pincée d'ail en poudre
1 cuillerée à soupe de miel

1 cuillerée à soupe de vinaigre de fruits
1 cuillerée à café d'huile

Comment procéder:

Laver les crevettes sous l'eau froide; essuyer.
Saler et poivrer les médaillons de veau. Couper les tomates épépinées et l'oignon en quartiers.

Laver les champignons.
Placer tous les ingrédients sur les brochettes.
Mélanger la sauce au chili, l'origan, le basilic, l'ail, le miel et le vinaigre.
Placer les brochettes sous le gril ou faire revenir à la poêle dans de l'huile.
Enduire de sauce peu avant la fin de la cuisson et servir très chaud.

Porc au poivre

Préparation: 15 mn

Pour 1 personne, il faut:

100 g de filet de porc
1 cuillerée à café de poivre noir en grains concassé
1 pointe de paprika en poudre
1 pointe de cari
1 cuillerée à café d'huile
1 piment
1 oignon
1 poivron vert
sel
poivre frais moulu
1 pointe de marjolaine
1 cuillerée à soupe de sauce de soja
2 cuillerées à soupe de ketchup
½ tasse de jus de viande
quelques branches de persil

Comment procéder:

Couper la viande en tranches fines. Ajouter le poivre noir, le paprika et le cari. Bien mélanger. Faire chauffer l'huile dans une poêle. Bien faire revenir la viande.
Ajouter le piment finement haché, l'oignon coupé en rondelles et le poivron coupé en lanières. Laisser cuire quelques minutes. Saler, poivrer, ajouter la marjolaine.
Mélanger la sauce de soja, le ketchup et le jus de viande. Ajouter à la viande. Porter à ébullition.
Saler et poivrer. Saupoudrer de persil haché.

NOTRE CONSEIL

Le wok convient parfaitement pour préparer ce plat d'inspiration chinoise. Ce récipient, en forme de demisphère, est généralement en fonte et est très bon conducteur de chaleur. Il est particulièrement bien adapté à la cuisson de la viande et des légumes sautés. Dans son pays d'origine, on le place directement sur la flamme.
Pour une cuisson à table, mieux vaut lui adapter un dispositif spécial et ajouter un anneau de métal sur la cuisinière.

Flétan gourmand aux fines herbes

Préparation: 20 mn

Pour 2 personnes, il faut:

2 steaks de flétan
sel
poivre frais moulu
quelques gouttes de sauce Worcester
quelques gouttes de citron
1 petit pain trempé à l'eau froide
1 œuf
1 cuillerée à soupe de raifort
quelques branches de cerfeuil
quelques branches d'aneth
quelques brins de ciboulette
2 cuillerées à soupe de cresson frais
50 g d'emmental râpé

Pour le bouillon:

⅛ l de vin blanc
½ tasse de bouillon de viande
1 oignon
1 feuille de laurier
2 baies de genièvre
1 clou de girofle

Comment procéder:

Laver le poisson sous l'eau froide. Essuyer, saler, poivrer. Imbiber de sauce Worcester et de citron et laisser mariner. Bien émietter le pain; mélanger avec l'œuf, le raifort et les herbes hachées. Saler et poivrer généreusement, mélanger le fromage.

Répartir le mélange sur le poisson.

Mettre dans un plat qui va au four le vin blanc, l'oignon coupé en rondelles, le laurier, les baies de genièvre et le clou de girofle. Ajouter le poisson. Laisser cuire 10 mn dans le four préchauffé à 200°C. Sortir et servir.

NOTRE CONSEIL

Votre plat fera très bel effet si vous garnissez le poisson d'une tomate et d'un œuf dur coupés en rondelles avant d'ajouter le mélange de fines herbes et de fromage.

Cocktail santé

Préparation: 15 mn

Pour 2 personnes, il faut:

½ batavia
½ trévise
1 tomate
¼ de concombre
quelques radis
2 tranches de jambon cuit
2 tranches de bonbel
50 g de pâtes aux œufs cuites
(2 cuillerées à soupe de pâtes non cuites)

Pour la sauce:

150 g de yaourt
quelques gouttes de citron
2 cuillerées à soupe de ketchup
2 cuillerées à soupe de vinaigre de fruits
1 pointe de cari
1 pointe de paprika en poudre
sel
poivre frais moulu
quelques gouttes de sauce Worcester

Pour décorer:

4 cuillerées à soupe de cresson frais
quelques brins de ciboulette

Comment procéder:

Éplucher et laver la batavia et la trévise. Couper les feuilles en morceaux de la taille d'une bouchée.

Couper la tomate en quartiers. Couper le concombre en deux, puis en minces rondelles. Éplucher les radis; couper en rondelles. Couper le jambon et le fromage en lanières. Mettre tous les ingrédients ainsi que les pâtes dans un plat. Remuer avec précaution. Pour la sauce, mélanger le yaourt, le citron, le ketchup et le vinaigre. Assaisonner de cari, de paprika, de sel, de poivre et de sauce Worcester. Verser la sauce sur la salade. Saupoudrer de cresson et de ciboulette hachée.

Coupe de macédoine de légumes

Préparation: 20 mn

Pour 2 personnes, il faut:

2 carottes
½ bulbe de fenouil
1 poivron rouge
100 g de chou-fleur (surgelé)
100 g de brocoli (surgelé)
½ tasse de vin blanc
½ tasse de bouillon de viande
jus d'1 citron
2 cuillerées à soupe de vinaigre de fruits
sel

poivre frais moulu
1 pincée de noix de muscade râpée
100 g de jambon cuit
150 g de yaourt maigre
1 cuillerée à soupe de moutarde
quelques gouttes de sauce Worcester
quelques brins de ciboulette

Comment procéder:

Peler et couper les carottes en bâtonnets.
Éplucher, laver et couper le fenouil en lanières.
Couper le poivron en deux. Épépiner et couper en lanières.
Mettre tous les légumes dans une casserole. Ajouter le vin blanc, le bouillon de viande, le jus de citron et le vinaigre.

Couvrir et laisser mijoter 8 mn à feu moyen, puis couvrir d'eau froide. Ajouter le sel, le poivre et la muscade.
Incorporer le jambon coupé en lanières.
Mélanger le yaourt et la moutarde. Saler, poivrer, ajouter la sauce Worcester. Verser sur les légumes et remuer. Saupoudrer de ciboulette coupée.

Merveilleuses salades

Ce chapitre sera le paradis des amateurs de salade. Ils y trouveront, n'en doutons pas, le mélange et l'assaisonnement appropriés. Toutes de fraîcheur, de santé et de diversité, ces recettes exciteront l'appétit ou constitueront un repas en soi.

Salade de harengs aux fraises

Préparation: 10 mn

Pour 1 personne, il faut:

½ oignon
2 oignons nouveaux
50 g de fraises fraîches
1 cuillerée à café de poivre vert en grains
½ botte de cresson
2 filets de hareng

Pour la sauce:

2 cuillerées à soupe de crème fraîche
2 cuillerées à café de jus de citron
quelques gouttes de vinaigre de fruits
sel
poivre frais moulu
1 pincée de sucre
½ cuillerée à café de liqueur d'œuf

Comment procéder:

Couper l'oignon et les oignons nouveaux épluchés en rondelles. Laver les fraises, bien les faire égoutter et les couper en deux. Dresser sur un plat tous les ingrédients ainsi que les grains de poivre, le cresson lavé et bien égoutté et les filets de hareng bien égouttés.
Pour la sauce, mélanger la crème avec le jus de citron et le vinaigre. Saler, poivrer, ajouter le sucre.
Parfumer la sauce de liqueur d'œuf. Verser la sauce sur les harengs et servir.

Harengs aux légumes et aux fruits

Préparation: 10 mn

Pour 1 personne, il faut:

2 filets de hareng
½ pêche
½ abricot
½ tasse de cerises (ou de cerises cocktail)
1 petit concombre
quelques radis
quelques feuilles de salade

Pour la sauce:

2 cuillerées à soupe de mayonnaise
2 cuillerées à soupe de crème fraîche
1 cuillerée à café de moutarde
1 cuillerée à soupe de jus de citron
1 cuillerée à café de confiture d'oranges amères
1 cuillerée à soupe de vinaigre de fruits
sel
poivre frais moulu
quelques branches d'aneth

Comment procéder:

Laver les filets de hareng sous l'eau froide; essuyer et couper en lanières longitudinales. Couper la ½ pêche et le ½ abricot en minces rondelles. Ajouter aux filets de hareng en même temps que les cerises bien égouttées et dénoyautées.

Couper le concombre en deux, puis en minces rondelles. Couper les radis en rondelles. Éplucher et laver les feuilles de salade; les disposer dans un plat. Ajouter tous les ingrédients; remuer le tout avec précaution. Pour la sauce, mélanger la mayonnaise, la crème, la moutarde, le jus de citron, la confiture d'oranges et le vinaigre. Saler et poivrer généreusement; verser sur la salade. Décorer de quelques branches d'aneth.

Salade de poulet à la suédoise

Préparation: 15 mn

Pour 2 personnes, il faut:

100 g de poulet cuit
2 harengs saurs
1 cornichon
200 g de pommes de terre cuites
1 petite boîte de petits pois et de carottes
1 petit bocal de betteraves rouges en salade

Pour la sauce:

½ tasse de mayonnaise
½ tasse de crème fraîche
2 cuillerées à soupe de moutarde
jus d'½ citron
2 cuillerées à soupe de vinaigre de fruits
1 pointe de cumin en poudre
sel
poivre frais moulu
1 pincée de sucre
quelques branches de persil

Comment procéder:

Couper le poulet en tranches minces.
Laver les harengs sous l'eau froide; laisser égoutter et couper en lanières.
Couper le cornichon et les pommes de terre pelées en rondelles.
Bien faire égoutter les petits pois, les carottes et les betteraves. Dresser dans un plat avec le reste des ingrédients.

Pour la sauce, mélanger la mayonnaise, la crème fraîche, la moutarde, le jus de citron et le vinaigre.
Ajouter le cumin, le sel, le poivre et le sucre. Verser la sauce sur la salade.
Saupoudrer de persil haché et servir.

Salade de poulet aux moules

Préparation: 15 mn

Pour 2 personnes, il faut:

200 g de poulet cuit
50 g de champignons de Paris frais
1 pêche
2 oignons nouveaux
1 petite boîte de petits pois et de carottes
125 g de moules décortiquées

Pour la sauce:

½ tasse de mayonnaise
150 g de yaourt
2 cuillerées à soupe de ketchup
1 cuillerée à soupe de gelée de groseilles
2 cuillerées à soupe de vinaigre de fruits
1 pointe de cari
1 pincée de paprika en poudre
sel
poivre frais moulu
quelques gouttes de sauce Worcester
1 branche de persil

Comment procéder:

Couper le poulet en tranches.
Couper les champignons épluchés en rondelles.
Couper la pêche en deux, ôter le noyau, couper en rondelles; couper les oignons nouveaux épluchés en minces lanières.
Bien faire égoutter les petits pois et les carottes ainsi que les moules. Dresser dans un plat avec les autres ingrédients.
Pour la sauce, mélanger la mayonnaise, le yaourt, le ketchup, la gelée de groseilles et le vinaigre.
Assaisonner de cari, de paprika, de sel, de poivre et de sauce Worcester. Verser la sauce sur la salade.
Saupoudrer de persil haché et servir.

95

SAUCE A L'ORANGE

½ tasse de jus d'orange
2 cuillerées à soupe de vinaigre de
fruits
2 cuillerées à soupe d'huile d'olive
2 cuillerées à soupe d'eau minérale
sel, poivre frais moulu
1 pincée de sucre
1 cuillerée à café de liqueur
d'orange
½ bouquet de menthe poivrée

Mélanger le jus d'orange, le vinaigre, l'huile d'olive et l'eau.
Bien assaisonner de sel, de poivre et de sucre. Parfumer avec la
liqueur d'orange. Incorporer la
menthe finement hachée.

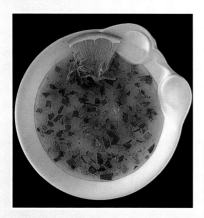

SAUCE A L'AIL

1 pincée de sel
1 gousse d'ail
2 cuillerées à soupe de vinaigre de
fruits
2 cuillerées à soupe d'huile d'olive
2 cuillerées à soupe d'eau minérale
½ tasse de sangrita piquante
sel
poivre frais moulu
1 pincée de sucre
½ bouquet de persil

Mélanger la gousse d'ail broyée
avec le sel, le vinaigre, l'huile
d'olive, l'eau minérale et la sangrita.
Ajouter le sel, le poivre et le sucre. Incorporer le persil finement haché.

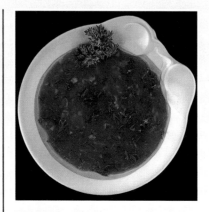

SAUCE AU VIN ROUGE

1 oignon rouge
2 cuillerées à soupe de jus
d'orange
2 cuillerées à soupe de vin rouge
2 cuillerées à soupe de vinaigre de
fruits
2 cuillerées à soupe d'huile d'olive
sel, poivre frais moulu
1 pincée de sucre
½ bouquet de ciboulette

Couper l'oignon en lanières; mélanger au jus d'orange, au vin
rouge, au vinaigre et à l'huile
d'olive.
Bien assaisonner de sel, de poivre et de sucre. Incorporer la ciboulette finement hachée.

SAUCE AU CITRON

½ oignon émincé
2 cuillerées à soupe de vin blanc
2 cuillerées à soupe d'eau minérale
2 cuillerées à soupe d'huile d'olive

jus d'1 citron
3 cuillerées à soupe de vinaigre de
fruits
sel
poivre frais moulu
1 pincée de sucre
quelques brins de ciboulette

Mélanger l'oignon, le vin blanc,
l'eau minérale, l'huile d'olive, le
jus de citron et le vinaigre.
Bien assaisonner de sel, de poivre et de sucre. Incorporer la ciboulette finement hachée.

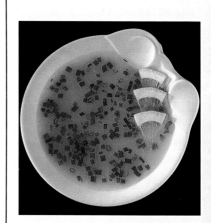

Salade cocktail

Préparation: 15 mn

Pour 2 personnes, il faut:

1 petite chicorée
1 petite trévise
1 endive
quelques radis
1 poivron rouge
50 g de champignons de Paris frais
1 paire de saucisses de Vienne
100 g de rosbif cuit

Pour la vinaigrette aux herbes:

½ tasse de jus d'orange
½ tasse de vin blanc
2 cuillerées à soupe de vinaigre de vin
2 cuillerées à soupe d'huile d'olive
sel
poivre frais moulu
quelques gouttes de sauce Worcester

1 pincée de sucre
quelques branches de citronnelle
quelques branches de menthe poivrée

Comment procéder:

Éplucher, laver et couper en morceaux de la taille d'une bouchée la chicorée, la trévise et l'endive.
Couper les radis en rondelles et le poivron en fines lanières.
Éplucher, laver, bien égoutter les champignons; les couper en rondelles.
Couper les saucisses en rondelles et le rosbif en lanières.
Disposer tous les ingrédients dans un plat. Remuer le tout avec précaution.

Pour la sauce, mélanger le jus d'orange, le vin blanc, le vinaigre et l'huile d'olive. Saler, poivrer, ajouter la sauce Worcester et le sucre.
Hacher finement la citronnelle et la menthe. Ajouter à la sauce. Verser sur la salade et bien mélanger.

Salade de chèvre à la grecque

Préparation: 10 mn

Pour 1 personne, il faut:

quelques feuilles de chicorée
½ oignon rouge
1 tomate
½ poivron jaune
½ poivron rouge
quelques olives noires
50 g de thon (à l'huile)
1 œuf dur
50 g de chèvre

Pour la sauce:

½ tasse d'huile d'olive
2 cuillerées à soupe de vinaigre de fruits
jus d'½ citron
sel
poivre frais moulu
1 pincée de sucre
quelques brins de ciboulette

Comment procéder:

Éplucher, laver, bien essorer la chicorée; couper les feuilles en morceaux de la taille d'une bouchée et disposer le tout dans un petit saladier.

Couper l'oignon en rondelles. Couper la tomate en quartiers. Couper le poivron en lanières. Ajouter les olives et les autres ingrédients dans le saladier. Remuer le tout avec précaution. Couper le thon en morceaux de la taille d'une bouchée. Écaler l'œuf, puis le couper en quartiers; couper le chèvre en lanières. Mélanger l'huile d'olive, le vinaigre et le jus de citron. Saler, poivrer, ajouter le sucre. Verser la sauce sur la salade. Disposer joliment le thon, le fromage et l'œuf sur la salade. Saupoudrer de ciboulette hachée et servir.

Salade à l'italienne

Préparation: 15 mn

Pour 2 personnes, il faut:

2 tomates
1 oignon
1 poivron rouge
1 petit zucchini
50 g de mozarella

Pour la sauce:

½ tasse de vin blanc
3 cuillerées à soupe d'huile d'olive
3 cuillerées à soupe de vinaigre de fruits, jus d'½ citron
2 cuillerées à soupe de miel
sel, poivre frais moulu
1 pointe d'origan

En outre:

1 petite laitue
50 g de salami
50 g de mortadelle
quelques branches de menthe poivrée

Comment procéder:

Couper les tomates en quartiers. Hacher finement l'oignon; couper le poivron en morceaux. Couper le zucchini en deux, puis en fines rondelles.
Couper la mozarella en morceaux et mélanger avec précaution aux autres ingrédients.
Mélanger le vin blanc, l'huile d'olive, le vinaigre, le jus de citron et le miel. Bien relever de sel, de poivre et d'origan. Verser sur la salade et remuer.
Eplucher et laver la laitue, couper les feuilles en morceaux de la dimension d'une bouchée.

Disposer dans un saladier. Dresser la salade sur la laitue. Garnir de tranches de salami et de mortadelle ainsi que des branches de menthe.

NOTRE CONSEIL

La salade et les légumes contiennent de très nombreux sels minéraux et vitamines que détruisent la lumière du soleil, l'eau, la chaleur et le froid. N'utilisez donc pas d'eau trop froide ni trop chaude et ne laissez jamais tremper la salade ou les légumes. Après épluchage, passez rapidement les feuilles de salade sous l'eau et séchez-les dans un torchon ou, mieux, mettez-les dans une essoreuse à salade.

Salade Julia

Préparation: 15 mn

Pour 1 personne, il faut:

*100 g de pâtes aux œufs cuites
(30 g de pâtes non cuites)
2 tranches de bœuf cuit
1 tranche de jambon cuit
1 tranche de rôti froid
½ oignon (petit)
½ poivron rouge
½ tranche d'ananas
½ pêche
quelques radis*

Pour la sauce:

*2 cuillerées à soupe de crème
fraîche
1 cuillerée à soupe de vinaigre de
fruits
1 cuillerée à café de moutarde
2 cuillerées à soupe de jus
d'orange
sel
poivre frais moulu
1 pincée de sucre
½ botte de cresson*

Comment procéder:

Mettre les pâtes dans un plat.
Couper le bœuf, le jambon et le rôti en fines lanières.
Hacher finement l'oignon; couper le poivron et l'ananas en petits dés.
Couper la ½ pêche en rondelles.
Couper les radis en rondelles.

Ajouter tous les ingrédients aux pâtes. Remuer le tout avec précaution.
Battre la crème fraîche, le vinaigre, la moutarde et le jus d'orange.
Bien assaisonner de sel, de poivre et de sucre. Verser sur la salade et bien mélanger.
Saupoudrer de cresson.

SAUCE RAFFINEE

2 cuillerées à soupe de lait condensé
1 cuillerée à café de moutarde
3 cuillerées à soupe d'huile d'olive
2 cuillerées à soupe de ketchup
1 cuillerée à café de gelée de groseilles
1 pincée de cari
1 pincée de paprika en poudre
1 pincée de poivre de Cayenne
sel
poivre frais moulu
quelques gouttes d'eau-de-vie

Mélanger le lait condensé et la
moutarde. Incorporer l'huile
d'olive goutte à goutte.
Ajouter le ketchup et la gelée de
groseilles. Assaisonner de cari,
de paprika, de poivre de Cayenne, de sel et de poivre. Aromatiser d'eau-de-vie.

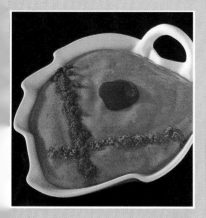

SAUCE MAISON
A LA FRANÇAISE

2 jaunes d'œufs
1 cuillerée à soupe de moutarde
2 cuillerées à soupe de vinaigre de
fruits
1 tasse d'huile d'olive
sel, poivre frais moulu
1 pincée de sucre
quelques gouttes de citron
quelques gouttes de sauce Worcester
1 cuillerée à soupe de crème fraîche

2 cuillerées à soupe de fines herbes
hachée

Mélanger les jaunes d'œufs, la
moutarde et le vinaigre dans un
plat. Ajouter l'huile d'olive
goutte à goutte.
Bien relever de sel, de poivre, de
sucre, de citron et de sauce Worcester. Incorporer la crème
fraîche et les fines herbes.

SAUCE AUX FINES
HERBES

100 g de yaourt
½ tasse de crème fraîche
2 cuillerées à soupe de vinaigre de
fruits
2 cuillerées à soupe de jus de
citron
½ oignon
½ cornichon
2 filets d'anchois
1 cuillerée à café de moutarde
sel
poivre frais moulu
1 pincée de sucre
2 cuillerées à soupe de fines herbes
hachées

Mélanger le yaourt, la crème, le
vinaigre et le citron.
Hacher finement l'oignon, le
cornichon et les filets d'anchois.
Incorporer à la sauce avec la
moutarde.
Bien relever de sel, de poivre et
de sucre. Incorporer les fines
herbes.

SAUCE A LA CREME
ET A L'AIL

100 g de crème fraîche
2 cuillerées à soupe de vinaigre de
fruits
½ cuillerée à café de sel
1 gousse d'ail
1 petit concombre
½ oignon (petit)
sel
poivre frais moulu
1 pincée de sucre
quelques gouttes de sauce Worcester
quelques gouttes de citron
quelques brins de ciboulette

Mélanger la crème, le vinaigre,
la gousse d'ail broyée avec le sel,
le concombre finement haché et
l'oignon émincé.
Bien relever de sel, de poivre, de
sauce Worcester et de citron. Incorporer la ciboulette finement
hachée.

Salade de pommes de terre

Préparation: 15 mn

Pour 1 personne, il faut:

2 cuillerées à soupe d'huile d'olive
½ cuillerée à café de sel
1 gousse d'ail
1 tranche de lard maigre fumé
1 oignon
½ botte d'oignons nouveaux
1 saucisse de Vienne
1 petite saucisse fumée
½ tasse de bouillon de viande
1 pointe de marjolaine
1 pointe de cumin en poudre
sel
poivre frais moulu
1 pincée de sucre
1 pincée de poivre de Cayenne
2 pommes de terre cuites
½ botte de ciboulette

Comment procéder:

Faire chauffer l'huile d'olive dans une poêle. Faire revenir la gousse d'ail broyée avec le sel. Ajouter le lard coupé en lanières. Faire revenir.
Ajouter l'oignon émincé ainsi que les oignons nouveaux épluchés, lavés et coupés en lanières. Couper les saucisses en rondelles; ajouter et faire revenir. Verser le bouillon de viande. Bien assaisonner.
Ajouter les pommes de terre coupées en rondelles. Mélanger le tout avec précaution. Saupoudrer de ciboulette.

Salade de saucisses

Préparation: 15 mn

Pour 1 personne, il faut:

150 g de saucisse
½ oignon rouge
1 petit radis blanc
½ poivron rouge
quelques radis.
½ bouquet de ciboulette
½ botte de cresson

Pour la sauce:

3 cuillerées à soupe de bouillon de viande dégraissé
1½ cuillerée à soupe de vinaigre de vin
1½ cuillerée à soupe d'huile d'olive
sel
poivre frais moulu
1 pincée de sucre

Comment procéder:

Couper la saucisse en rondelles. Couper l'oignon en rondelles. Peler, couper en deux le radis blanc, puis en fines rondelles. Éplucher, laver, bien égoutter et couper le poivron en lanières. Couper les radis en rondelles. Trier, laver et hacher grossièrement les fines herbes.
Mettre tous les ingrédients dans un plat. Mélanger le tout avec précaution.
Mélanger le bouillon de viande, le vinaigre et l'huile. Ajouter le sel, le poivre et le sucre.
Verser la sauce sur la salade. Laisser mariner 5 mn. Vérifier l'assaisonnement et servir.

Fraîcheur du potager

Vous ne trouverez pas, dans ce chapitre, les roux et les lourdes sauces au beurre censés mettre les légumes en valeur, mais des plats savoureux et légers, qui se préparent vite et maintiennent en forme votre organisme grâce à leur richesse en vitamines et en éléments minéraux

Chou-rave aux champignons

Préparation: 35 mn

Pour 2 personnes, il faut:

300 g de chou-rave (surgelé)
1 cuillerée à soupe de beurre ou de margarine
50 g de lard maigre fumé
1 paire de saucisses de Vienne
1 petit oignon
2 oignons nouveaux
1 petite boîte de champignons mélangés
1 tasse de vin blanc
¼ l de bouillon de viande
½ tasse de crème fraîche
sel
poivre frais moulu
1 pincée de sucre
quelques gouttes de sauce Worcester
1 pincée de noix de muscade râpée
quelques condiments
un peu de maïzena
quelques branches de citronnelle

Comment procéder:

Faire dégeler le chou-rave.
Faire chauffer le beurre ou la margarine dans une poêle. Faire revenir le lard coupé en petits dés.
Couper les saucisses en tranches fines. Ajouter au lard et laisser cuire quelques minutes.
Éplucher et émincer l'oignon; éplucher et couper les oignons nouveaux en lanières. Ajouter au lard avec le chou-rave coupé en cubes et laisser revenir.
Ajouter les champignons. Délayer avec le vin blanc et couvrir avec le bouillon de viande. Laisser mijoter 10 mn à feu moyen.
Incorporer la crème. Saler, poivrer, ajouter le sucre, la sauce Worcester, la muscade et les condiments.
Délayer un peu de maïzena avec de l'eau froide. Ajouter au chou-rave et porter à ébullition. Saupoudrer de citronnelle.

Chou-rave relevé

Préparation: 35 mn

Pour 2 personnes, il faut:

100 g de viande de porc
50 g de lard maigre fumé
2 cuillerées à soupe d'huile
½ cuillerée à café de sel
1 gousse d'ail
1 oignon
½ poivron rouge
½ poivron vert
2 choux-raves moyens
1 cuillerée à soupe de sauce tomate
1 tasse de vin rouge
1 boîte de tomates pelées
1 tasse de bouillon de viande
sel
poivre frais moulu
1 pincée de paprika en poudre
1 pincée de cari
1 cuillerée à café de marjolaine
1 pincée de sucre
4 cuillerées à soupe de ciboulette fraîche

Comment procéder:

Couper la viande de porc en petits dés.
Émincer le lard. Faire chauffer l'huile dans une poêle. Faire revenir le lard.
Ajouter la gousse d'ail broyée avec le sel, faire revenir à peine; ajouter le porc. Bien faire revenir.
Éplucher l'oignon et les poivrons; couper en minces lanières. Ajouter à la viande avec le chou-rave épluché et coupé en petites rondelles très fines. Faire revenir.
Ajouter la sauce tomate. Délayer avec le vin rouge. Ajouter les tomates et le bouillon de viande. Bien assaisonner de sel, de poivre, de paprika, de cari, de marjolaine et de sucre. Couvrir et laisser mijoter 15-20 mn à feu moyen.
Retirer du feu. Vérifier l'assaisonnement. Saupoudrer de ciboulette.

Potée épicée

Préparation: 20 mn

Pour 2 personnes, il faut:

1 cuillerée à soupe de beurre ou de margarine
50 g de lard maigre fumé
200 g de poitrine de bœuf fumée
1 petit piment
½ cuillerée à café de sel
1 gousse d'ail
1 oignon
1 poivron rouge
1 petite boîte de haricots de Soissons
1 tasse de jus de viande
1 tasse de sangrita piquante
½ cuillerée à café de thym
½ cuillerée à café de sarriette
sel
poivre frais moulu
½ cuillerée à café de paprika en poudre
½ cuillerée à café de cari
1 pincée de sucre
quelques gouttes de tabasco

Comment procéder:

Faire chauffer le beurre ou la margarine dans une casserole.
Faire revenir le lard coupé en petits dés.
Couper le bœuf en dés, ajouter au lard et faire revenir brièvement.
Hacher grossièrement le piment; ajouter à la viande en même temps que la gousse d'ail broyée avec le sel et l'oignon grossièrement haché.
Éplucher, laver et couper le poivron en petits dés. Ajouter à la viande.
Ajouter les haricots Soissons, le jus de viande et la sangrita. Bien relever le tout.
Couvrir et laisser mijoter 5-10 mn à feu moyen. Vérifier l'assaisonnement avant de servir.

Lentilles relevées

Préparation: 30 mn

Pour 2 personnes, il faut:

1 cuillerée à soupe de beurre ou de margarine
50 g de lard maigre fumé
1 paire de saucisses de Toulouse
1 paire de saucisses de Vienne
1 petit oignon
300 g de macédoine de légumes (surgelée)
1 cuillerée à soupe de sauce tomate
1 cuillerée à soupe de farine
½ tasse de vin rouge
1½ tasse de jus de viande
1 petite boîte de lentilles
sel
poivre frais moulu
2 cuillerées à soupe de vinaigre de fruits
1 pincée de sucre
½ cuillerée à café de basilic

Comment procéder:

Faire chauffer le beurre ou la margarine dans une poêle; faire revenir le lard coupé en petits dés.
Couper les saucisses en tranches, ajouter au lard et faire revenir brièvement.
Ajouter l'oignon émincé et les légumes. Laisser cuire quelques instants.
Ajouter la sauce tomate, saupoudrer de farine, délayer avec le vin rouge. Couvrir avec le jus de viande.
Ajouter les lentilles. Saler, poivrer, ajouter le vinaigre, le sucre et le basilic.
Couvrir et laisser mijoter 5-10 mn à feu moyen. Vérifier l'assaisonnement et servir.

Roulades au chou-rouge gratinées

Préparation: 35 mn

Pour 1 personne, il faut:

3 feuilles de chou-rouge moyennes

Pour la farce:

125 g de chair à saucisse
½ oignon (petit)
1 jaune d'œuf
quelques branches de persil
sel
poivre frais moulu
1 pointe de marjolaine
½ cuillerée à café de zeste de citron râpé
½ cuillerée à café d'ail en poudre
1 cuillerée à café de chapelure

En outre:

1 cuillerée à soupe de beurre ou de margarine
½ oignon (petit)
½ tasse de bouillon de viande
½ tasse de jus de viande
50 g de mozarella
quelques branches de persil

Comment procéder:

Faire blanchir les feuilles de chou dans de l'eau salée; sortir, égoutter. Disposer sur une planche.
Mettre la chair à saucisse dans un plat; mélanger avec l'oignon finement haché, le jaune d'œuf et le persil finement haché. Travailler l'ensemble jusqu'à obtention d'une masse compacte.
Saler, poivrer. Ajouter la marjolaine, le zeste de citron et l'ail.
Le cas échéant, lier la masse avec la chapelure.
Répartir régulièrement la farce sur les feuilles de chou.
Rouler à l'aide d'un torchon humide. Lier la roulade avec de la ficelle de cuisine.
Faire chauffer le beurre ou la margarine dans un plat qui va au four. Faire revenir l'oignon coupé en petits dés.

Ajouter le bouillon de viande et le jus de viande. Disposer la roulade dans le plat.
Laisser cuire 10-15 mn dans le four préchauffé à 180°C.
Disposer sur le dessus la mozarella coupée en tranches. Laisser gratiner 5 mn.
Saupoudrer de persil haché et servir.

FARCE A LA SAUCISSE DE FOIE

80 g de saucisse de foie
½ oignon
1 tranche de jambon cuit
½ cuillerée à café de marjolaine
sel
poivre frais moulu
1 pincée d'ail en poudre
2 cuillerées à soupe de fines herbes hachées
½ cuillerée à café de poivre vert en grains
1-2 cuillerées à soupe de chapelure

Mélanger la saucisse de foie, l'oignon finement haché et le jambon coupé en petits dés. Bien assaisonner de marjolaine, de sel, de poivre et d'ail.
Incorporer les fines herbes, le poivre en grains et la chapelure. Répartir régulièrement la masse sur les feuilles de chou-rouge; procéder comme indiqué précédemment, mais ne pas gratiner avec du fromage.

FARCE A LA CHOUCROUTE

50 g de boudin
3 cuillerées à soupe de choucroute
½ oignon
½ cuillerée à café de marjolaine
1 pointe de cumin
1-2 cuillerées à soupe de chapelure
sel
poivre frais moulu
1 pointe d'ail en poudre

Couper le boudin en petits dés. Mélanger avec la choucroute et l'oignon finement haché.
Ajouter la marjolaine et le cumin. Incorporer la chapelure. Bien relever de sel, de poivre et d'ail.
Incorporer les fines herbes hachées. Répartir la masse régulièrement sur les feuilles de chou et procéder comme indiqué précédemment, mais sans faire gratiner.

FARCE AU POISSON

80 g de filets de cabillaud
½ oignon
1 cuillerée à soupe de crème
1 jaune d'œuf
1 cuillerée à café de moutarde
2-3 cuillerées à soupe de chapelure
quelques gouttes de citron
quelques gouttes de sauce Worcester
sel
poivre frais moulu
4 cuillerées à soupe de fines herbes hachées

Laver le poisson sous l'eau froide; essuyer et hacher menu au couteau.
Ajouter l'oignon émincé, la crème, le jaune d'œuf, la moutarde et la chapelure. Travailler le tout jusqu'à obtention d'une masse compacte.
Bien relever de citron, de sauce Worcester, de sel et de poivre. Ajouter les fines herbes.
Répartir la masse régulièrement sur les feuilles de chou; procéder comme indiqué précédemment, mais ne pas faire gratiner.

Endives au lard

Préparation: 25 mn

Pour 1 personne, il faut:

*2 endives
2 cuillerées à soupe de ketchup
1 cuillerée à soupe de miel
2 cuillerées à soupe de vinaigre de fruits
1 cuillerée à café de poivre vert en grains
1 cuillerée à soupe de raifort râpé
1 pointe d'origan
1 pointe de basilic
sel
poivre frais moulu
4 tranches de lard maigre fumé*

Pour la sauce:

*1 cuillerée à soupe de beurre ou de margarine
1 oignon
4 cl de vin blanc
1 tasse de crème fraîche
1 pincée de condiments
quelques branches d'estragon
50 g d'emmental râpé*

Comment procéder:

Éplucher les endives. Couper en deux et ôter le trognon.

Faire blanchir brièvement les ½ endives.
Mélanger le ketchup, le miel, le vinaigre, le poivre en grains et le raifort. Assaisonner d'origan, de basilic, de sel et de poivre.
Disposer chaque ½ endive sur 1 tranche de lard et rouler le lard. Fixer avec un cure-dent. Enduire les endives de marinade.
Faire chauffer le beurre ou la margarine dans un plat qui va au four. Faire revenir l'oignon émincé.
Ajouter les endives. Verser le vin blanc et ajouter la crème.
Ajouter le sel, le poivre, les condiments et l'estragon haché.
Saupoudrer d'emmental. Laisser cuire 10 mn dans le four préchauffé à 200°C. Sortir du four, vérifier l'assaisonnement et servir.

Chou de Chine sauté

Préparation: 20 mn

Pour 2 personnes, il faut:

200 g de viande hachée mélangée
50 g de lard maigre fumé
2 cuillerées à soupe d'huile de soja
1 petit oignon
250 g de chou de Chine
1 petite boîte de germes de haricots de soja
½ tasse de vin blanc
½ tasse de ketchup au cari
1 tasse de jus de viande
3 cuillerées à soupe de vinaigre de fruits
sel
poivre frais moulu
½ cuillerée d'épices chinoises

1 cuillerée à café de glutamate
1 pincée de sucre
2 cuillerées à soupe de sauce de soja
quelques brins de ciboulette

Comment procéder:

Bien faire revenir la viande hachée et le lard coupé en petits dés dans l'huile.
Ajouter l'oignon émincé et faire cuire brièvement.
Ajouter un peu d'eau. Couvrir et laisser mijoter 5 mn à feu moyen.
Retirer le couvercle et laisser cuire jusqu'à évaporation du liquide.

Pendant ce temps, éplucher, laver et couper le chou de Chine en lanières.
Ajouter le chou de Chine ainsi que les germes de haricots de soja bien égouttés à la viande.
Laisser cuire quelques minutes.
Mouiller de vin blanc. Ajouter le ketchup, le jus de viande et le vinaigre.
Bien mélanger le tout. Saler, poivrer, ajouter les épices, le glutamate, le sucre et la sauce de soja.
Saupoudrer de ciboulette et servir.

Soufflé aux légumes

Préparation: 35 mn

Pour 2 personnes, il faut:

2 cuillerées à soupe d'huile d'olive
½ cuillerée à café de sel
1 gousse d'ail
200 g de viande hachée
1 petit oignon
2 oignons nouveaux
1 petite boîte de tomates pelées
½ cuillerée à café d'origan
½ cuillerée à café de basilic
sel
poivre frais moulu
1 pincée de condiments
400 g de légumes variés (surgelés)
par exemple brocoli, chou-fleur,
carottes, fèves
100 g d'emmental râpé
quelques branches de persil

Comment procéder:

Faire chauffer l'huile d'olive
dans une poêle; faire revenir la
gousse d'ail broyée avec le sel.
Ajouter la viande hachée. Bien
faire revenir.
Ajouter l'oignon émincé ainsi
que les oignons nouveaux épluchés et coupés en lanières. Laisser cuire quelques minutes.
Ajouter les tomates. Assaisonner
généreusement.
Placer les légumes décongelés et
la viande dans un plat qui va au
four.
Saupoudrer de fromage et de
persil haché. Laisser cuire 15 mn
dans le four préchauffé à 180°C.

Courgette farcie

Préparation: 25 mn

Pour 1 personne, il faut:

1 courgette de grosseur moyenne
sel
poivre frais moulu
quelques gouttes de jus de citron
quelques gouttes de sauce Worcester

Pour la farce:

100 g de chair à saucisse
1 petit oignon
quelques brins de ciboulette
1 pincée d'ail en poudre
1 cuillerée à café de marjolaine
1 cuillerée à soupe de chapelure
40 g d'emmental râpé

En outre:

1 tasse de jus de viande
1 petite boîte de tomates pelées
1 pointe d'origan
1 cuillerée à café de basilic
1 pincée de condiments

Comment procéder:

Laver et couper la courgette en deux. Épépiner avec une cuillère à café.

Saler, poivrer et imbiber chaque moitié de citron et de sauce Worcester.

Pour la farce, mélanger dans un plat la chair à saucisse, l'oignon finement haché et la ciboulette hachée.

Bien relever d'ail, de marjolaine, de sel et de poivre. Lier légèrement avec la chapelure.

Garnir les moitiés de courgette du mélange. Disposer le tout dans un plat à gratin.

Saupoudrer d'emmental. Laisser cuire 10-15 mn dans le four préchauffé à 180°C.

Pendant ce temps, faire chauffer le jus de viande et les tomates dans une casserole.

Ajouter l'origan, le basilic, les condiments, le sel et le poivre.

Sortir la courgette du four. Servir avec la sauce tomate.

Pâtes aux légumes

Préparation: 15 mn

Pour 2 personnes, il faut:

1 cuillerée à soupe de beurre ou de margarine
50 g de lard maigre fumé
1 paire de saucisses
200 g de macédoine de légumes (surgelée)
200 g de pâtes aux œufs cuites (70 g de pâtes non cuites)
1 tasse de sangrita piquante

100 g de crème
1 cuillerée à soupe de sauce tomate
1 cuillerée à café de basilic
sel
poivre frais moulu
1 pincée de sucre
1 pincée de condiments
quelques branches de citronnelle

Comment procéder:

Faire chauffer le beurre ou la margarine dans une poêle. Faire revenir le lard coupé en petits dés.
Ajouter les saucisses coupées en rondelles.

Ajouter la macédoine de légumes. Laisser cuire le tout. Incorporer les pâtes. Couvrir de sangrita et porter à ébullition. Mélanger la crème et la sauce tomate; ajouter aux pâtes. Assaisonner de basilic, de sel, de poivre, de sucre et de condiments. Laisser mijoter 5 mn à feu moyen.
Vérifier l'assaisonnement. Garnir de citronnelle et servir.

Des plats vite faits venus de la cuisine froide

La cuisine froide est la cuisine rapide par excellence. Cela n'est pas synonyme de frugalité. Légumes en sauce, pain garni, poisson . . . les recettes qui suivent vous montreront la richesse et la diversité de cette cuisine-là.

Obazter bavarois

Préparation: 10 mn

Pour 1 personne, il faut:

1 petit camembert
1 petit oignon
2 cuillerées à soupe de crème
fraîche
2 cuillerées à soupe de vin blanc
quelques branches de persil
1 pincée de paprika en poudre
1 pincée de cumin en poudre
sel
poivre blanc frais moulu
1 pincée de poivre de Cayenne
quelques gouttes d'eau-de-vie- de
fruits

Pour la garniture:

feuilles de salade
rondelles d'oignon
paprika en poudre
persil haché

Comment procéder:

Mettre le camembert dans un
plat et l'écraser à la fourchette.
Ajouter l'oignon haché, la crème
et le vin blanc.
Hacher finement le persil, ajouter au camembert. Mélanger le
tout jusqu'à obtention d'une
masse crémeuse.
Relever de paprika, de cumin, de
sel, de poivre et de poivre de
Cayenne.
Aromatiser avec l'eau-de-vie de
fruits.
Dresser les feuilles de salade
dans un plat; disposer dessus
l'Obazter. Garnir des rondelles
d'oignon et servir.

Marinade de romadur

Préparation: 15 mn

Pour 1 personne, il faut:

1 morceau moyen de romadur
3 cuillerées à soupe d'huile d'olive
1 oignon
2 oignons nouveaux
½ tasse de vin blanc
½ tasse de vinaigre de fruits
½ tasse d'eau minérale
1 pincée de cumin
½ cuillerée à café de marjolaine
1 pointe de poivre de Cayenne
sel
poivre frais moulu
1 pincée de sucre
½ bouquet de ciboulette

Comment procéder:

Couper le romadur en tranches;
dresser sur une assiette.
Mettre dans un plat l'huile
d'olive avec l'oignon coupé en
tranches et les oignons nouveaux épluchés et coupés en lanières.
Ajouter le vin blanc, le vinaigre
et l'eau minérale.
Bien relever de cumin, de marjolaine, de poivre de Cayenne, de
sel, de poivre et de sucre.
Verser la sauce sur le fromage.
Laisser mariner 5-10 mn au réfrigérateur. Saupoudrer de ciboulette hachée et servir.

Porc haché relevé

Préparation: 10 mn

Pour 1 personne, il faut:

150 g de porc haché (sans gras)
½ cuillerée à café de sel
1 gousse d'ail
½ oignon (petit)
½ cornichon
½ boîte de câpres
quelques brins de ciboulette
quelques branches de persil
1 jaune d'œuf
sel

poivre frais moulu
1 pincée de poivre de Cayenne
1 cuillerée à café de paprika en poudre
2 tranches de pain de seigle
1 cuillerée à soupe d'oignon haché
quelques rondelles de cornichon
quelques câpres

Comment procéder:

Mettre dans un plat le porc haché, la gousse d'ail broyée avec le sel, le ½ oignon haché ainsi que le ½ cornichon haché. Ajouter les câpres avec la ciboulette coupée et le persil haché. Ajouter le jaune d'œuf. Travailler l'ensemble jusqu'à obtention d'une masse compacte.

Relever généreusement de sel, de poivre, de poivre de Cayenne et de paprika.
Tartiner le pain de seigle avec le mélange. Garnir d'oignon haché, de cornichon et de quelques câpres.

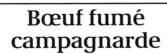

Bœuf fumé campagnarde

Préparation: 10 mn

Pour 2 personnes, il faut:

300 g de bœuf fumé cuit
1 oignon
2 oignons nouveaux
quelques branches de persil
1 cuillerée à soupe de moutarde
1 cuillerée à soupe de raifort râpé
½ cuillerée à café de sel
1 gousse d'ail
1 cuillerée à café de marjolaine
1 cuillerée à café de zeste de citron râpé
1 pointe de cumin en poudre
sel
poivre frais moulu

4 cuillerées à soupe de mayonnaise
1 cuillerée à café de paprika en poudre
1 branche de persil
1 oignon nouveau

Comment procéder:

Mouliner (avec la grille la plus fine) la viande, l'oignon, les oignons nouveaux et le persil. Ajouter la moutarde, le raifort et la gousse d'ail broyée avec le sel. Bien mélanger.
Ajouter la marjolaine, le zeste de citron, le cumin, le sel et le poivre.
Incorporer la mayonnaise. Vérifier l'assaisonnement. Mettre dans un pot de grès et garnir de paprika, de persil et de rondelles d'oignon nouveau.

Asperges à la westphalienne

Préparation: 10 mn

Pour 1 personne, il faut:

*200 g d'asperges fraîches cuites ou
1 petite boîte
½ tasse de vin blanc
1 cuillerée à soupe de moutarde
2 cuillerées à soupe d'huile d'olive
2 cuillerées à soupe de vinaigre de
fruits
2 cuillerées à soupe de jus de
citron
quelques brins de ciboulette
quelques branches d'aneth
sel
poivre frais moulu
1 pincée de sucre*

*1 œuf dur
80 g de jambon de Westphalie*

Comment procéder:

Dresser les asperges bien égouttées sur un plat.
Mélanger le vin blanc, la moutarde, l'huile d'olive et le vinaigre.
Ajouter le jus de citron, les fines
herbes hachées; bien mélanger.
Ajouter le sel, le poivre et le sucre.
Hacher l'œuf dur; incorporer à la
sauce.
Napper les asperges de sauce et
laisser reposer quelques minutes.
Servir les asperges avec le jambon.

NOTRE CONSEIL

L'asperge est le légume des
gourmets par excellence. Il
convient donc de la préparer
dans les règles. Peler les ti-
ges avec un couteau économe de haut en bas. Bien ôter
les fibres coriaces. Ne couper
que l'extrémité inférieure
avec le couteau à légumes.
Placer tout de suite les asperges épluchées dans de
l'eau additionnée de vinaigre ou de citron pour qu'elles conservent leur jolie couleur blanche.

Avocat aux fruits de mer

Préparation: 15 mn

Pour 1 personne, il faut:

*300 g de fruits de mer prêts à l'emploi
(moules, anneaux de calmar, crevettes, thon)
50 g d'olives noires
1 tomate
quelques branches de persil
quelques brins de ciboulette
½ cuillerée à café de sel
1 gousse d'ail
½ tasse de vinaigre de fruits
½ tasse d'huile d'olive
sel
poivre frais moulu
1 pincée de sucre
1 œuf dur*

En outre:

*1 avocat de grosseur moyenne
jus d'un citron*

Comment procéder:

Mettre les fruits de mer dans un plat.
Couper en deux et dénoyauter les olives. Ajouter aux fruits de mer avec la tomate pelée, épépinée et coupée en dés.
Hacher le persil, couper la ciboulette. Mélanger avec la gousse d'ail broyée avec le sel, le vinaigre et l'huile d'olive.

Relever de sel, de poivre et de sucre. Incorporer l'œuf écalé et haché à la sauce. Ajouter les fruits de mer.
Couper l'avocat en deux; ôter le noyau et imbiber aussitôt la pulpe de jus de citron.
Garnir chaque moitié de fruits de mer et servir.

Crevettes à la crème d'airelles

Préparation: 10 mn

Pour 1 personne, il faut:

125 g de crevettes roses
quelques feuilles de trévise et de
batavia

Pour la crème aux airelles:

3 cuillerées à soupe de crème
fraîche
1 cuillerée à soupe de vinaigre de
fruits
½ cuillerée à soupe de raifort râpé
quelques gouttes de citron
sel
poivre frais moulu
3 cuillerées à soupe de confiture
ou de compote d'airelles
quelques gouttes d'eau-de-vie
½ tasse de crème fouettée
fines herbes entières pour garnir

Comment procéder:

Laver les crevettes sous l'eau
froide; bien faire égoutter.
Laver et bien égoutter les feuilles de trévise et de batavia.
Répartir les crevettes sur la salade.
Pour la crème aux airelles, mélanger la crème fraîche, le vinaigre, le raifort et le jus de citron.
Battre jusqu'à obtention d'un
mélange crémeux.
Saler et poivrer généreusement.
Incorporer les airelles et aromatiser d'eau-de-vie.
Incorporer la crème fouettée.
Vérifier l'assaisonnement et verser sur les crevettes.
Garnir de quelques fines herbes
entières et servir.

Queues de langoustines à la crème de groseilles

Préparation: 10 mn

Pour 1 personne, il faut:

4 langoustines de grosseur
moyenne, décortiquées et cuites
sel, poivre blanc frais moulu
quelques gouttes de citron
quelques feuilles de trévise
et de batavia

Pour la crème de groseilles:

3 cuillerées à soupe de mayon-
naise
½ cuillerée à soupe de gelée de
groseilles
1 cuillerée à soupe de vinaigre de
fruits
1 pincée de cari
½ tasse de crème fouettée
quelques gouttes d'eau-de-vie
év. 100 g de groseilles fraîches

Comment procéder:

Saler, poivrer et imbiber les langoustines de citron.
Dresser les feuilles de salade sur
une assiette. Disposer les langoustines dessus.
Pour la crème de groseilles, mélanger la mayonnaise, la gelée
de groseilles, le vinaigre et le cari. Saler et poivrer généreusement.
Incorporer la crème fouettée
avec précaution; ajouter l'eau-
de-vie.
Napper les langoustines de
crème. Décorer de groseilles.

Pain de campagne «Italia»

Préparation: 5 mn

Pour 1 personne, il faut:

1 grosse tranche de pain de campagne
½ cuillerée à soupe de beurre d'estragon
2 tomates
100 g de mozarella
1 oignon rouge
sel
poivre frais moulu
1 cuillerée à café d'huile d'olive
½ bouquet de ciboulette

Comment procéder:

Tartiner le pain de beurre et garnir de rondelles de tomate.
Couper la mozarella en tranches; disposer sur le pain.
Couper l'oignon en rondelles et ajouter sur le pain. Saler et poivrer généreusement. Ajouter l'huile d'olive.
Saupoudrer de ciboulette coupée et servir.

Smörrebröd à l'œuf

Préparation: 5 mn

Pour 1 personne, il faut:

1 grosse tranche de pain de campagne
1 cuillerée à soupe de sauce rémoulade
2 œufs durs
1 petit bocal de filets d'anchois
sel
poivre frais moulu
1 petite boîte de câpres
½ bouquet d'aneth

Comment procéder:

Enduire le pain de sauce rémoulade.
Couper les œufs en rondelles.
Dresser sur le pain.
Laver les filets d'anchois sous l'eau froide; essuyer, rouler et disposer sur les rondelles d'œuf.
Saler et poivrer. Placer les câpres dans les anchois roulés. Garnir de branches d'aneth et servir.

Smörrebröd aux légumes

Préparation: 5 mn

Pour 1 personne, il faut:

1 grosse tranche de pain de campagne
2 cuillerées à soupe de beurre d'estragon
2 tranches de jambon cru
1 petit concombre
quelques radis
3 cuillerées à soupe de crème fraîche
avec fines herbes
sel
poivre frais moulu

quelques gouttes de sauce Worcester
quelques gouttes de jus de citron
½ botte de cresson

Comment procéder:

Tartiner le pain de beurre et garnir de jambon.
Couper le concombre et les radis en rondelles et disposer joliment sur le jambon.
Assaisonner la crème fraîche de sel, de poivre, de jus de citron et de sauce Worcester. Répartir sur le pain.
Trier, laver, bien égoutter le cresson. En saupoudrer le pain et servir.

Pain de campagne-party

Préparation: 5 mn

Pour 1 personne, il faut:

1 grosse tranche de pain de campagne
1 cuillerée à soupe de beurre
2 tranches de jambon cuit
2 tranches d'emmental
1 cuillerée à soupe de moutarde
1 cuillerée à soupe de ketchup
quelques gouttes de vinaigre de fruits
sel, poivre frais moulu
1 pincée de sucre
quelques brins de ciboulette
3 cuillerées à soupe de légumes au vinaigre, 1 oignon

Comment procéder:

Tartiner le pain de beurre; garnir joliment de jambon et d'emmental. Mélanger la moutarde et le ketchup. Ajouter le vinaigre, le sel, le poivre et le sucre. Incorporer la ciboulette et l'oignon finement haché et disposer sur le pain avec les légumes au vinaigre.

Smörrebröd à l'anguille fumée

Préparation: 5 mn

Pour 1 personne, il faut:

1 grosse tranche de pain de campagne
1 cuillerée à soupe de beurre
quelques feuilles de salade
3 anguilles fumées
de grosseur moyenne
1 oignon, 1 cornichon
2 cuillerées à soupe de sauce rémoulade
2 cuillerées à soupe de crème fraîche avec des fines herbes
sel, poivre frais moulu
quelques gouttes de sauce Worcester, quelques gouttes de citron
1 petite boîte de câpres

Comment procéder:

Tartiner le pain de beurre et garnir de feuilles de salade.
Couper les anguilles en morceaux et dresser sur le pain.
Hacher finement l'oignon et le cornichon. Mélanger avec le reste des ingrédients et répartir sur le pain.

Céleri au fromage blanc et au jambon

Préparation: 15 mn

Pour 2 personnes, il faut:

1 céleri en branche de grosseur moyenne

Pour la farce:

250 g de fromage blanc maigre
75 g de crème fraîche
jus d'1 citron
quelques gouttes de sauce Worcester
1 oignon

1 poivron rouge
1 cornichon
1 tomate
40 g de parmesan râpé
sel
poivre frais moulu
1 pincée de poivre de Cayenne
100 g de jambon cru

Comment procéder:

Laver le céleri sous l'eau froide; laisser égoutter; ôter les fils avec un couteau et couper en morceaux de la taille d'une bouchée. Mélanger le fromage blanc, la crème fraîche, le jus de citron et la sauce Worcester.
Incorporer l'oignon émincé et le poivron coupé en dés.

Émincer le cornichon: peler, épépiner et couper la tomate en dés. Ajouter le tout au fromage blanc.
Incorporer le parmesan; bien relever de sel, de poivre et de poivre de Cayenne.
Garnir les morceaux de céleri de la farce.
Disposer le jambon coupé en lanières sur le dessus.

FARCE A LA SAUCISSE DE FOIE

100 g de saucisse de foie
100 g de fromage blanc maigre
1 oignon
2 cuillerées à soupe de compote d'airelles
2 cuillerées à soupe de vinaigre de fruits
sel, poivre
quelques gouttes d'eau-de-vie
quelques branches de persil
quelques branches de citronnelle

Mélanger la saucisse de foie et le fromage blanc. Incorporer l'oignon émincé, les airelles et le vinaigre. Saler et poivrer généreusement. Aromatiser d'eau-de-vie. Laver et hacher menu les fines herbes. Incorporer à la crème et garnir le céleri avec la farce.

FARCE AU ROQUEFORT

100 g de roquefort
75 g de beurre ou de margarine
4 cuillerées à soupe de crème fraîche
avec des fines herbes
2 cl de sherry sec
sel, poivre
1 pincée de sucre
1 cuillerée à café de poivre vert en grains
1 oignon
quelques branches de persil

Mélanger le roquefort dans un plat avec le beurre ou la margarine et la crème fraîche. Aromatiser de sherry; saler, poivrer, ajouter le sucre.
Incorporer le poivre en grains, l'oignon émincé et le persil à la crème. Garnir le céleri avec la farce.

FARCE AU FROMAGE FRAIS

100 g de fromage frais demi écrémé
4 cuillerées à soupe de crème fraîche
avec des fines herbes
1 cornichon
1 oignon
quelques gouttes de citron
quelques gouttes de sauce Worcester
sel, poivre
quelques gouttes d'eau-de-vie
½ bouquet de ciboulette
4 filets d'anchois

Mélanger le fromage frais et la crème fraîche. Hacher très finement le cornichon et l'oignon et incorporer au fromage avec le citron, la sauce Worcester, le sel, le poivre et l'eau-de-vie. Incorporer la ciboulette finement coupée. Garnir le céleri avec la farce et orner de filets d'anchois.

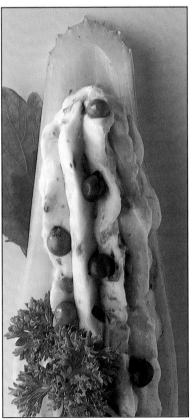

Un classique redécouvert: les entremets salés

Ils étaient tombés dans l'oubli . . . les revoici, version nouvelle. Qu'ils soient garnis de légumes, de fruits ou autres ingrédients exquis, nombre de plats de ce chapitre, pimentés ou doux, prendront à coup sûr une place de choix dans votre carnet de recettes.

Croquettes du paysan

Préparation: 20 mn

Pour 1 personne, il faut:

1 cuillerée à soupe de beurre ou de margarine
25 g de lard maigre fumé
1 oignon
1 petit poireau
100 g de fèves (surgelées)
100 g de crème sucrée
sel
poivre frais moulu
1 pincée de noix de muscade râpée
1 pincée de condiments
100 g de croquettes cuites
(30 g de croquettes non cuites)
50 g d'emmental râpé
20 g de limbourg râpé
quelques brins de ciboulette

Comment procéder:

Faire chauffer le beurre ou la margarine dans une poêle. Mettre le lard coupé en petits dés. Ajouter l'oignon émincé ainsi que le poireau épluché et coupé en lanières.
Ajouter les fèves bien égouttées. Laisser cuire quelques minutes. Ajouter la crème. Bien relever de sel, de poivre, de muscade et de condiments. Laisser mijoter 5 mn.
Incorporer les croquettes. Saupoudrer d'emmental et de limbourg. Mettre à gratiner au four 5 mn à 200°C.
Saupoudrer de ciboulette et servir.

Croquettes de la paysanne

Préparation: 20 mn

Pour 1 personne, il faut:

1 cuillerée à soupe de beurre ou de margarine
1 oignon
80 g de jambon cuit
1 petite boîte de carottes et de petits pois
100 g de croquettes cuites
(30 g de croquettes non cuites)
1 tasse de crème
sel
poivre frais moulu
1 pincée de muscade
1 pointe de thym
1 pincée de condiments
50 g de mozarella
2 cuillerées à soupe de ciboulette fraîche hachée

Comment procéder:

Faire chauffer le beurre ou la margarine dans une poêle; mettre l'oignon coupé en petits dés. Ajouter le jambon coupé en lanières, les légumes bien égouttés et les croquettes. Laisser cuire 5 mn.
Ajouter la crème.
Bien relever de sel, de poivre, de muscade, de thym et de condiments.
Couper la mozarella en tranches. Dresser sur les croquettes et faire gratiner au four ou sous le gril.
Saupoudrer de ciboulette et servir aussitôt.

Pizza à la poêle

Préparation: 25 mn

Pour 1 personne, il faut:

60 g de farine
1 œuf
½ tasse de lait
sel
poivre blanc frais moulu
1 pincée de sucre
quelques brins de ciboulette
1 cuillerée à soupe d'huile d'olive

En outre:

beurre ou margarine pour la cuisson
1 tomate
½ oignon
1 petite boîte de macédoine de légumes
50 g de crevettes roses
3 tranches de jambon de Parme
1 cuillerée à soupe d'olives farcies
1 cuillerée à café de basilic
½ cuillerée à café d'origan

Comment procéder:

Mélanger la farine, l'œuf et le lait.
Ajouter le sel, le poivre et le sucre. Incorporer la ciboulette finement coupée ainsi que l'huile d'olive.
Faire chauffer le beurre ou la margarine dans une grande poêle. Ajouter la pâte et faire cuire le fond.
Pendant ce temps, couper la tomate en rondelles, émincer l'oignon et bien égoutter la macédoine de légumes.
Ôter la poêle du feu; répartir les rondelles de tomate sur la pâte ainsi que l'oignon et les légumes.
Laver les crevettes sous l'eau froide, bien égoutter. Disposer joliment sur la pizza avec le jambon.
Ajouter les olives. Saupoudrer de basilic et d'origan.
Faire cuire 10 mn au four préchauffé à 200°C. Sortir et servir.

Rouleaux de crêpes

Préparation: 35 mn

Pour 2 personnes, il faut:

100 g de farine
1 œuf
1½ tasse de lait
sel
poivre frais moulu
1 pincée de noix de muscade
râpée
quelques branches de persil
2 cuillerées à soupe d'huile

Pour la farce:

250 g de chair à saucisse fine
1 petit oignon
1 œuf
1 cuillerée à café de zeste de
citron râpé

1 cuillerée à soupe de crème
fraîche
1 pincée d'ail en poudre
1 cuillerée à café de marjolaine

En outre:

1 petite boîte de tomates pelées
1 tasse de jus de viande
100 g de mozarella

Comment procéder:

Mélanger la farine, l'œuf et le
lait. Ajouter le sel, le poivre et la
muscade. Incorporer le persil haché.
Faire chauffer un peu d'huile
dans une poêle; faire cuire les
crêpes. Sortir de la poêle et tenir
au chaud.
Pour la farce, mélanger dans un
saladier la chair à saucisse, l'oi-

gnon émincé, le zeste de citron,
l'œuf et la crème fraîche.
Ajouter l'ail, la marjolaine, le sel
et le poivre.

Garnir chaque crêpe de farce et
rouler. Puis couper en morceaux.
Mettre les tomates et le jus de
viande dans un plat à gratin.
Ajouter les rouleaux de crêpes.
Disposer la mozarella coupée en
tranches par-dessus et laisser
cuire 10-15 mn dans le four préchauffé à 180°C.

Pizza à la génoise

Préparation: 35 mn

Pour 1 personne, il faut:

*1 portion de pâte surgelée
1 cuillerée à soupe de sauce
tomate
1 tomate
sel
poivre frais moulu
½ cuillerée à café d'origan
50 g de crevettes
50 g de moules
quelques olives noires et vertes
farcies*

*½ poivron vert
½ boîte (petite) de champignons
de Paris
1 cœur d'artichaut
4 filets d'anchois
4 tranches fines de salami
4 petits piments
30 g de provolone râpé*

Comment procéder:

Étendre la pâte dégelée sur la surface de travail saupoudrée de farine et lui donner forme de pizza.

Recouvrir de sauce tomate et garnir avec la tomate coupée en rondelles.

Saler, poivrer, saupoudrer d'origan. Disposer joliment les cre-vettes, les moules, les olives noires, le poivron coupé en lanières, les champignons coupés en deux et l'artichaut.

Enrouler les anchois autour des olives, rouler les tranches de salami. Disposer sur la pizza et placer les piments à l'intérieur du salami.

Saupoudrer de provolone. Laisser cuire 15-20 mn dans le four préchauffé à 180°C.

Sortir du four. Saupoudrer de fines herbes hachées et servir.

Pizza aux herbes

Préparation: 35 mn

Pour 1 personne, il faut:

1 portion de pâte surgelée
1 cuillerée à soupe de sauce
tomate
½ oignon
50 g d'épinards frais
quelques branches de persil
quelques brins de ciboulette
75 g de crème fraîche
1 œuf
1 pointe d'origan
1 pointe de basilic
1 œuf dur
sel
poivre frais moulu
100 g de mozarella

Comment procéder:

Étendre la pâte dégelée sur la surface de travail saupoudrée de farine et lui donner forme de pizza.
Recouvrir de sauce tomate. Émincer l'oignon, trier les épinards et les fines herbes. Hacher. Mélanger la crème et l'œuf. Saler, poivrer. Verser sur la pizza. Répartir les fines herbes, les épinards et l'oignon sur la pizza. Saupoudrer d'origan, de basilic et de l'œuf haché. Saler et poivrer.
Couper la mozarella en tranches. Disposer sur la pizza. Laisser cuire 15-20 mn dans le four préchauffé à 180°C. Sortir et servir.

NOTRE CONSEIL

Si vous disposez de très peu de temps, faites une pizza Margarita. Composée de tomates mûres et rouges, de mozarella fraîche et blanche et de feuilles de basilic vertes, votre pizza sera très italienne.

Champignons au gratin

Préparation: 35 mn

Pour 2 personnes, il faut:

1 cuillerée à soupe de beurre ou de margarine
2 oignons nouveaux
50 g de jambon cuit
1 petite boîte de champignons mélangés
quelques branches d'aneth
sel
poivre frais moulu
1 pincée de noix de muscade râpée
quelques gouttes de sauce Worcester
jus d'½ citron
75 g de farine
2 œufs
1 tasse de crème fraîche
de la matière grasse
50 g de gouda râpé

Comment procéder:

Faire chauffer le beurre ou la margarine dans une poêle; mettre les oignons nouveaux épluchés et coupés en lanières.
Ajouter le jambon coupé en petits dés et les champignons bien égouttés. Laisser cuire quelques minutes.
Incorporer l'aneth finement haché et bien assaisonner le tout.
Mélanger la farine, les œufs et la crème. Mettre dans des ramequins beurrés.
Répartir les champignons et le jambon dans les ramequins et saupoudrer de gouda râpé.
Faire cuire 15-20 mn au bain-marie dans le four préchauffé à 180°C.

Beignets de légumes

Préparation: 30 mn

Pour 2 personnes, il faut:

250 g de pommes de terre
2 carottes
1 petit poireau
1 oignon
sel
poivre frais moulu
1 pincée de noix de muscade râpée
50 g de jambon cuit
1 cuillerée à café de poivre vert en grains
50 g de farine
1 œuf
quelques brins de ciboulette
de l'huile pour la friture

Comment procéder:

Couper en petits dés les pommes de terre pelées, les carottes épluchées, le poireau ainsi que l'oignon. Faire cuire 8-10 mn dans une petite quantité d'eau salée, puis assaisonner.
Passer au presse-purée. Vérifier l'assaisonnement.
Incorporer le jambon coupé en très petits dés ainsi que les grains de poivre.
Mélanger la farine, l'œuf et la ciboulette finement coupée; travailler jusqu'à obtention d'une masse compacte.
Former de petits beignets avec la pâte. Faire frire à la poêle dans de l'huile chaude.

Galettes aux pommes

Préparation: 25 mn

Pour 1 personne, il faut:

1 cuillerée à soupe de beurre ou de margarine
1 pomme acide
2 cuillerées à soupe de raisins secs
2 cl de rhum
2 cuillerées à soupe d'amandes émondées
½ cuillerée à café de cannelle

Pour la pâte:

75 g de farine
½ tasse de lait
1 œuf
1 cuillerée à soupe d'huile
½ cuillerée à soupe de sucre
1 pincée de sel
½ sachet de sucre vanillé

Comment procéder:

Faire chauffer le beurre ou la margarine dans une poêle; mettre la pomme pelée, épépinée et coupée en petites rondelles. Ajouter les raisins secs. Laisser cuire quelques minutes et mouiller de rhum.
Ajouter les amandes et la cannelle.
Mélanger la farine, le lait, l'œuf, l'huile, le sucre, le sel et le sucre vanillé. Travailler le tout jusqu'à obtention d'une pâte lisse.
Verser la pâte sur la pomme et laisser cuire 10 mn dans le four préchauffé à 180°C.
Sortir et servir.

Galettes aux fruits secs

Préparation: 30 mn

Pour 1 personne, il faut:

4 rondelles de pommes sèches
4 abricots secs
2 dattes sèches
2 prunes sèches
½ tasse de vin blanc
½ tasse d'eau
½ bâton de cannelle
1 cuillerée à café de sucre vanillé

jus d'½ citron
½ tasse de jus d'orange

Pour la pâte:

75 g de farine
½ tasse de lait
1 œuf, 1 cuillerée à soupe d'huile
½ cuillerée à soupe de sucre
1 pincée de sel
½ sachet de sucre vanillé
de la matière grasse

En outre:

1 cuillerée à soupe de beurre ou de margarine

1 cuillerée à soupe de sucre
3 cuillerées à soupe d'amandes émondées
1 cuilleré à soupe de pistaches
1 cuillerée à soupe de pignons

Comment procéder:

Mettre dans une casserole la pomme, les abricots, les dattes, les prunes et le vin blanc. Ajouter la cannelle, le sucre vanillé, le jus de citron et le jus d'orange. Laisser mijoter 10-15 mn à feu moyen.

Pendant ce temps, mélanger la farine, le lait, l'œuf, l'huile, le sucre, le sel et le sucre vanillé et travailler le tout jusqu'à obtention d'une pâte lisse.

Verser dans une grande poêle beurrée. Laisser cuire 10-15 mn dans le four préchauffé à 180°C. Pendant ce temps, faire fondre le beurre et mettre le sucre à caraméliser. Ajouter les amandes, les pistaches et les pignons. Remuer le tout.

Mélanger avec la compote de fruits secs.

Soufflé de pâtes

Préparation: 30 mn

Pour 2 personnes, il faut:

*1 cuillerée à soupe de beurre ou de
margarine
50 g de lard maigre fumé
200 g de chair à saucisse
1 oignon
½ poivron rouge
½ poivron vert
1 petit zucchini
½ tasse de vin rouge
2 tomates
sel
poivre frais moulu
2 cuillerées à soupe de fines herbes
hachées
200 g de pâtes cuites
(70 g de pâtes non cuites)
150 g de yaourt
2 œufs
50 g d'emmental râpé*

Comment procéder:

Faire chauffer le beurre ou la
margarine dans une poêle. Bien
faire revenir le lard coupé en petits dés ainsi que la chair à saucisse.
Ajouter l'oignon émincé, les poivrons épluchés et coupés en petits dés ainsi que le zucchini
coupé en deux puis en rondelles.
Laisser cuire quelques minutes.
Mouiller de vin rouge. Incorporer les tomates pelées, épépinées et coupées en dés. Assaisonner; incorporer les fines herbes.
Mettre dans un plat à gratin
avec les pâtes.
Mélanger le yaourt et les œufs.
Saler et poivrer généreusement.
Verser dans le plat à gratin. Saupoudrer de fromage.
Laisser cuire 10 mn dans le four
préchauffé à 200°C.

Beignets à la sauce

Préparation: 40 mn

Pour 2 personnes, il faut:

50 g de beurre ou de margarine
40 g de sucre
1 œuf
2 cuillerées à soupe de crème
fraîche
125 g de farine
½ cuillerée à café de levure
1 pincée de noix de muscade
râpée, sel
huile pour la friture

Pour la sauce:

2 cuillerées à soupe de beurre
50 g de lard maigre
2 petits oignons nouveaux
1 cuillerée à soupe de farine
1 tasse de vin blanc
½ tasse de bouillon de légumes
½ tasse de crème fraîche
poivre blanc frais moulu

Comment procéder:

Battre le beurre ou la margarine
avec le sucre jusqu'à obtention
d'un mélange crémeux.
Incorporer l'œuf et la crème en
battant vigoureusement.
Mélanger la farine tamisée, la levure, la muscade et le sel. Ajouter à la pâte et travailler.
Former de petits beignets; faire
frire.
Faire chauffer le beurre. Faire
fondre le lard coupé en petits
dés.
Ajouter les oignons nouveaux
coupés en lanières, laisser cuire
quelques minutes. Saupoudrer
de farine.
Verser le vin blanc et le bouillon
de légumes. Bien mélanger le
tout. Ajouter la crème fraîche.
Saler et poivrer la sauce; ajouter
la muscade.
Servir les beignets avec la sauce.

Tentantes chatteries pour les fines gueules

Tout amateur de gâteaux, de desserts crémeux ou glacés, trouvera son bonheur dans ce chapitre. Les recettes répertoriées sont de préparation simple et rapide . . . ce qui hâtera, pour les gourmands, le plaisir de les savourer.

Flan anglais

Préparation: 40 mn

Pour 2 personnes, il faut:

150 g de crème
3 œufs
300 g de farine
75 g de sucre
1 cuillerée à café de levure

Pour la garniture de pommes:

125 g de beurre ou de margarine
75 g de sucre
100 g d'amandes émondées
4 pommes acides
4 cuillerées à soupe de chapelure
1 cuillerée à soupe de cannelle
1 cuillerée à soupe de zeste de
citron râpé
6 cl de rhum

Comment procéder:

Battre la crème ferme et incorporer les œufs peu à peu.
Mélanger la farine, le sucre et la levure. Incorporer délicatement à la crème.
Recouvrir la plaque de cuisson d'aluminium. Placer une bande d'aluminium au milieu de la plaque pour en délimiter une moitié.
Graisser avec du beurre ou de la margarine. Répartir la pâte en couche régulière.
Laisser cuire 15 mn dans le four préchauffé à 180°C.
Pendant ce temps, faire fondre le beurre ou la margarine dans une casserole avec le sucre. Faire griller les amandes.

Peler, épépiner, couper les pommes en deux puis en rondelles.
Sortir la pâte au bout de 15 mn, saupoudrer de chapelure et garnir avec les pommes. Napper de beurre d'amandes.
Saupoudrer de cannelle et de zeste de citron. Imbiber de rhum.
Laisser cuire 10 mn dans le four à 180°C et servir chaud.

GARNITURE AUX QUETSCHES

100 g de quetsches
220 g de sucre
150 g de crème fraîche
2 œufs
1 petit sachet de sucre vanillé
4 cl d'eau-de-vie de quetsches
1 cuillerée à soupe de zeste de citron râpé
100 g d'amandes émondées

Préparer la pâte comme indiqué précédemment; faire cuire. Disposer dessus les quetsches dénoyautées.
Mélanger le sucre, la crème, les œufs, le sucre vanillé et l'eau-de-vie de quetsches. Verser sur les quetsches.
Saupoudrer de zeste de citron et d'amandes. Laisser cuire 10-15 mn à 180°C.

GARNITURE AUX ABRICOTS

300 g d'abricots
300 g de yaourt
2 œufs
2 cuillerées à soupe de maïzena
1 sachet de sucre vanillé
75 g de sucre
jus de 2 citrons
1 cuillerée à soupe de zeste de citron râpé
50 g de pistaches
50 g de pignons

Préparer la pâte comme indiqué précédemment; faire cuire. Garnir avec les abricots lavés, bien égouttés et dénoyautés.
Mélanger le yaourt, les œufs, la maïzena, le sucre vanillé, le sucre, le jus de citron et le zeste de citron. Verser sur les abricots.
Saupoudrer de pistaches et de pignons. Laisser cuire 10-15 mn dans le four à 180°C.

GARNITURE AUX CERISES

300 g de cerises
125 g de fromage blanc maigre
½ tasse de crème
2 œufs
1 sachet de sucre vanillé
75 g de sucre
1 cuillerée à soupe de zeste de citron râpé
4 cl d'eau-de-vie de cerises

Préparer la pâte comme indiqué précédemment; faire cuire. Garnir avec les cerises lavées, bien égouttées et dénoyautées.
Mélanger le fromage blanc, la crème, les œufs, le sucre vanillé, le sucre, le zeste de citron et l'eau-de-vie de cerises.
Verser sur les cerises. Laisser cuire 10-15 mn dans le four à 180°C.

Oranges à l'alcool

Préparation: 10 mn

Pour 1 personne, il faut:

1 grosse orange
1 cuillerée à soupe de beurre ou de margarine
1 cuillerée à soupe de sucre
4 cl de vin blanc
4 cl de liqueur d'orange
1 cuillerée à soupe de pistaches
1 cuillerée à soupe de pignons
1 pincée de sucre vanillé
1 pointe d'anis
quelques branches de menthe poivrée

Comment procéder:

Peler l'orange; ôter la peau blanche; couper le fruit en tranches.
Faire chauffer le beurre ou la margarine dans une poêle et faire caraméliser le sucre.
Verser le vin blanc. Porter à ébullition avec le sucre.

Ajouter les tranches d'orange, parfumer de liqueur d'orange. Porter à ébullition. Saupoudrer de pistaches et de pignons. Aromatiser de sucre vanillé et d'anis.
Dresser sur une assiette. Garnir de branches de menthe et servir.

Tartelettes aux fraises au poivre vert

Préparation: 25 mn

Pour 1 personne, il faut:

2 tartelettes (prêtes à l'emploi)
1 cuillerée à soupe de marmelade d'oranges
1 cuillerée à soupe de liqueur d'orange
100 g de fraises fraîches
2 cuillerées à soupe de sucre
½ tasse de jus d'orange
1 cuillerée à soupe de sirop de fraise
1 cuillerée à café de poivre vert en grains
½ cuillerée à café de sucre vanillé
1 feuille de gélatine rouge
3 cuillerées à soupe de crème sucrée
½ cuillerée à café de gélifiant sucre selon le goût
2 cuillerées à soupe de pistaches

Comment procéder:

Préparer les tartelettes sur le plan de travail.
Mélanger la marmelade d'orange et la liqueur d'oranges.
Enduire les tartelettes du mélange.
Éplucher, laver, bien égoutter les fraises. En garnir les tartelettes.
Faire chauffer dans une casserole le sucre, le jus d'orange, le sirop de fraise, le poivre en grains et le sucre vanillé.
Délayer la gélatine préalablement mise à l'eau froide et écrasée.
Napper les tartelettes du mélange. Laisser prendre au réfrigérateur.
Pendant ce temps, battre la crème bien ferme avec le gélifiant. Sucrer, selon le goût.
Saupoudrer le bord des tartelettes de pistaches hachées et servir avec la crème.

Petit gâteau aux ananas

Préparation: 25 mn

Pour 2 personnes, il faut:

100 g de farine
1 pincée de sel
⅛ l de bière
1 jaune d'œuf, 1 blanc d'œuf
1 cuillerée à café d'huile d'olive
5 tranches d'ananas
de l'huile pour la friture
3 cuillerées à soupe de sucre
1 cuillerée à soupe de cannelle

En outre:

4 boules de crème glacée
1 tasse de crème fouettée

Comment procéder:

Mélanger la farine, le sel, la bière, le jaune d'œuf ainsi que l'huile d'olive jusqu'à obtention d'une pâte lisse.
Battre le blanc d'œuf ferme et incorporer à la pâte.
Faire égoutter les tranches d'ananas, les essuyer sur un torchon. Tremper 4 tranches dans la pâte et les faire frire.

Mélanger le sucre et la cannelle et tremper les ananas frits dans le mélange.
Dresser sur un plat les tranches encore tièdes. Garnir chacune d'une boule de crème glacée et de crème. Décorer avec le ¼ de tranche d'ananas restante.

Charlotte bonne femme

Préparation: 35 mn

Pour 2 personnes, il faut:

4 petits pains
1 petite boîte de macédoine de
fruits
125 g de fromage blanc maigre
1 tasse de crème
2 œufs
1 cuillerée à café de zeste de
citron râpé
1 sachet de sucre vanillé
2 cl de rhum
sucre selon le goût
50 g de raisins secs

Comment procéder:

Couper les petits pains en tranches.
Bien faire égoutter la macédoine de fruits.
Mélanger le fromage blanc, la crème et les œufs.
Ajouter le zeste de citron, le sucre vanillé et le rhum.
Sucrer, selon le goût. Incorporer les raisins secs.
Disposer dans un plat à gratin une couche de pain, une couche de fruits et le fromage blanc.
Faire cuire 20-25 mn dans le four préchauffé à 180°C.

Assiette gourmande

Préparation: 15 mn

Pour 2 personnes, il faut:

2 jaunes d'œufs
½ tasse de vin blanc
1 cuillerée à café de sucre vanillé
2 cl de liqueur d'amande
2 cuillerées à soupe de cacao en poudre instantané
25 g de chocolat râpé
1 pêche
2 grosses boules de glace à la vanille
2 cuillerées à soupe d'amandes hachées

Comment procéder:

Mélanger dans un plat qui va au four les jaunes d'œufs, le vin blanc, le sucre vanillé, la liqueur d'amande, le cacao en poudre et le chocolat.
Battre jusqu'à obtention d'un mélange crémeux au bain-marie.
Couper la pêche en deux; ôter le noyau. Mettre 1 boule de glace à la vanille dans chaque ½ pêche.
Napper du mélange.
Saupoudrer d'amandes hachées.

Assiette exquise

Préparation: 15 mn

Pour 2 personnes, il faut:

2 jaunes d'œufs
½ tasse de vin blanc
1 cuillerée à café de sucre vanillé
2 cuillerées à soupe de café en poudre instantané
2 cl de liqueur de marasquin
1 tasse de crème fouettée
sucre selon le goût
2 grosses boules de crème glacée à l'abricot
200 g de fruits rouges
4 cuillerées à soupe d'amandes effilées

Comment procéder:

Mélanger dans un plat qui va au four les jaunes d'œufs, le vin blanc, le sucre vanillé, le café en poudre et la liqueur de maras-quin.
Battre jusqu'à obtention d'un mélange crémeux au bain-marie.
Ôter du feu; laisser légèrement refroidir et mélanger la crème.
Sucrer, selon le goût.
Répartir la crème dans 2 assiet-tes. Dresser la glace à l'abricot au centre.
Trier, laver, bien égoutter les fruits. Ajouter à la glace ainsi que les amandes.

Assiette du diable

Préparation: 15 mn

Pour 2 personnes, il faut:

2 jaunes d'œufs
½ tasse de jus d'orange
1 cuillerée à café de sucre vanillé
quelques gouttes de citron
2 cl de liqueur d'orange
1 tasse de crème fouettée
sucre selon le goût
2 grosses boules de crème glacée
100 g de fraises fraîches
2 kiwis
2 cuillerées à soupe de pistaches hachées

Comment procéder:

Mélanger dans un plat qui va au four les jaunes d'œufs, le sucre vanillé, le jus d'orange, le jus de citron et la liqueur d'orange.
Battre jusqu'à obtention d'un mélange crémeux au bain-marie.
Ôter du feu, laisser légèrement refroidir. Incorporer la crème.
Sucrer, selon le goût.
Répartir la crème dans 2 assiet-tes. Disposer les boules de crème glacée au milieu.
Dresser sur la glace les fraises la-vées et coupées en tranches ainsi que les kiwis pelés et cou-pés en tranches.
Parsemer de pistaches.

Sorbet à la mangue

Préparation: 10 mn

Pour 1 personne, il faut:

pulpe d'½ mangue
2 cl de vin blanc
½ tasse de crème
1 pincée de sucre vanillé
sucre selon le goût
1 grosse boule de crème glacée au citron
2 cl de liqueur de mangue
½ kiwi
quelques cerises cocktail
quelques branches de mélisse

Comment procéder:

Passer la mangue avec le vin blanc au presse-purée ou au mixer.
Battre ferme la crème avec le sucre vanillé. Sucrer, selon le goût. Mélanger la crème glacée au citron, la purée de mangue et la crème.
Ajouter la liqueur de mangue. Mettre dans un verre.
Peler les kiwis, couper en morceaux. Les piquer, ainsi que les cerises, sur des brochettes à cocktail. Mettre dans le sorbet.
Garnir de branches de mélisse et servir aussitôt.

Mousse de pomme glacée

Préparation: 10 mn

Pour 1 personne, il faut:

½ tasse de purée de pomme
2 cuillerées à soupe de crème fouettée
1 cuillerée à café de sucre vanillé
sucre, 1 pincée de cannelle
½ cuillerée à café d'eau-de-vie de fruits
1 grosse boule de crème glacée à la vanille
2 cuillerées à soupe de compote d'airelles
quelques biscuits à la cuiller

Comment procéder:

Mettre la purée de pomme dans un plat. Incorporer délicatement la crème fouettée.
Ajouter le sucre vanillé et le sucre, selon le goût.
Ajouter la cannelle et l'eau-de-vie de fruits. Mettre dans un verre.
Disposer la boule de glace sur la purée. Garnir d'airelles et de biscuits à la cuiller.

NOTRE CONSEIL

Vous pouvez utiliser n'importe quelle purée de fruits à la place de la purée de pomme. Selon votre goût, préparez la recette avec une poire, un abricot, une pêche ou des morceaux d'ananas que vous cuirez dans un liquide fait de vin blanc, de jus de citron, de sucre vanillé, de cannelle et de clous de girofle. Passez au mixer après cuisson. Cela ira plus vite encore avec des fruits rouges. Choisissez la liqueur ou l'eau-de-vie de fruits la mieux adaptée. Sucrez légèrement les fruits rouges avant de les mixer.

Salade de fruits à la liqueur d'orange

Préparation: 15 mn

Pour 2 personnes, il faut:

1 orange
1 pomme
100 g de mûres
100 g de groseilles
1-2 cuillerées à soupe de sucre
4 cl de liqueur d'orange
75 g de crème
1 sachet de sucre vanillé
4 cuillerées à soupe de chocolat râpé

Comment procéder:

Peler et couper l'orange en quartiers. Mettre dans un plat.
Peler, épépiner et couper la pomme en tranches très fines. Ajouter à l'orange.
Trier, laver, bien égoutter les mûres et les groseilles. Les ajouter délicatement à l'orange et à la pomme.

Saupoudrer de sucre et imbiber de liqueur d'orange. Laisser reposer au moins 10 mn au réfrigérateur.
Battre la crème ferme. Sucrer avec le sucre vanillé et incorporer délicatement aux fruits.
Dresser la salade dans une coupe. Saupoudrer de chocolat râpé et servir.

Index des recettes

Index

© 1987 Falken-Verlag GmbH,
Niedernhausen (RFA)

© 1987 René Malherbe, éditeur

ISBN 2-905780-27-4
65 6877 8
Dépot légal septembre 1987

Traduit par: Ch. Poulain
Photographie: TLC-Foto-Studios
GmbH, Bocholt (RFA)
Photocomposition et maquette:
M & P Tekst, Weert (Pays-Bas)
Couverture: V. Unfer